Ilse Roennpagel

Die Urwaldhebamme

Der spannende Alltag einer Missionarin

FRANCKE
Verlag der Francke-Buchhandlung GmbH

Über die Autorin:
Ilse Roennpagel ist Diakonisse und war von 1955 bis 1993 als Missionarin und Hebamme für die Marburger Mission in Brasilien. Bis heute hält die „Mae do Povo“ (Mutter des Volkes) Kontakt zu vielen Kindern, denen sie zum Start ins Leben half.

Bibliografische Information Der Deutschen Bibliothek
Die Deutsche Bibliothek verzeichnet diese Publikation in der Deutschen Nationalbibliografie; detaillierte bibliografische Daten sind im Internet über http://dnb.ddb.de abrufbar.

3. Auflage 2008
ISBN 978-3-86122-955-1

35037 Marburg an der Lahn
Umschlaggestaltung: Henri Oetjen, DesignStudio Lemgo
Satz: Verlag der Francke-Buchhandlung GmbH
Druck: CPI Moravia Books, Korneuburg

www.francke-buch.de

Inhaltsverzeichnis

Vorwort

Schwester Ilse, die Urwaldhebamme, lernten meine Frau und ich 1989 kennen. Damals bereiteten wir uns selbst auf unseren Weg nach Brasilien vor. Sie hat uns in ihrer freundlichen und liebevollen Art sehr viel Mut gemacht für unsere Zukunft.
Später erlebte ich immer wieder, wie die Menschen an ihren Lippen hingen, wenn sie erzählte, wie sie zur Mutter des Volkes wurde, wie die Menschen sie nannten.
Darum freue ich mich, dass sie es gewagt hat, mit 80 Jahren noch *in die Computerwelt einzusteigen, um persönlich* einige Episoden ihres Lebens als Hebamme im brasilianischen Urwald in diesem Buch festzuhalten.

Rainer Becker
Direktor der Marburger Mission

„Wer die abenteuerlichen Berichte aus dem Missionsalltag von Sr. Ilse liest, stößt auf viel Verständnis und Offenheit für die brasilianische Kultur. Im Umgang mit den Menschen erweist sich Sr. Ilse als echte Vollblutmissionarin, leidenschaftlich interessiert, die Menschen mit der Freiheit und Freude des Evangeliums zu konfrontieren."

Theo Wendel
ehem. Direktor des Deutschen Gemeinschafts-Diakonieverbandes

Stimmen zum Buch

März 1977 in Porto Brasilio, am „Rande der Welt". Eine fröhliche Missionarin der Marburger Brasilien Mission (heute: Marburger Mission) empfängt mich mit einer Reisegruppe des EC (Jugendverband Entschieden für Christus). Schwester Ilse Roennpagel strahlt die Liebe Gottes aus. Das überzeugt nicht nur uns, sondern die vielen Menschen dieser ärmlichen Gegend. Sie nannten Sr. Ilse „Mutter des Volkes". Als Hebamme verhalf sie fast 2000 Kindern zum Leben. Ich ahnte damals noch nicht, dass sich unsere Wege in den vergangenen 30 Jahren ständig kreuzen würden. Wir blieben seit meiner Zeit in der Sozial-Missionarischen Arbeit im EC bis in den Ruhestand verbunden. Staunen Sie mit mir über ein Leben unter Gottes Führung.

Konrad Brandt
Präsident des EC-Weltverbandes (1986–1994)
Direktor der Marburger Mission (1989–1999)

- Von Gott berufen
- nach Brasilien entsandt
- Müttern bei der Geburt ihrer Kinder beigestanden
- das Evangelium vollmächtig verkündigt,
  das ist Diakonisse Ilse Roennpagel.

Lotte Bormuth
Schriftstellerin

Schwester Ilse konnte man einfach nicht übersehen. Mit ihrer fröhlichen und hilfsbereiten Art hat sie mich schon beeindruckt, als ich noch der Jugendleiter unserer lokalen EC Gemeinde in Curitiba war. Später trafen wir uns wieder, als sie im Innern von Parana als Missionarin aktiv war und ich als Mitbegründer von RTM/ERF-Brasil die Radioarbeit in Sao Paulo leitete. Öfter kam sie in unser Studio, um die Sendungen „Die Urwaldhebamme" aufzunehmen. Da haben wir oft herzlich miteinander gelacht und uns gemeinsam über Gottes wunderbares Wirken im Urwald gefreut. Schwester Ilse hat es erlebt, wie Jesus Christus auch heute noch die Hoffnung der Armen und der Heiland der Kranken ist.

Edmund Spieker
International Ministry Director bei Churches in Missions

Gottes wunderbare Führung in meinem Leben

Im Rückblick auf mein Leben kann ich nur staunen und Gott preisen, der meinem Leben einen festen Grund, einen bleibenden Inhalt und ein unverrückbares Ziel gab. Er hat mich wunderbar geführt und am Leben erhalten und Herzenswünsche nach seinem Plan erfüllt.

Ich wurde am 16. August 1924 in Gotha in Thüringen geboren. Meine Kindheit war nicht leicht, da die Ehe meiner Eltern zerbrach. Mein Bruder und ich litten sehr darunter, ohne Vater aufzuwachsen. Ich erinnere mich noch gut an ein Erlebnis aus meiner frühen Kindheit. Ich muss ungefähr drei oder vier Jahre alt gewesen sein: Meine Mutter betete mit mir.

Über meinem Kinderbett hing ein Bild mit einem knienden Kind vor einem Bett und einem Engel, der das Kind beschützte. So kniete auch ich vor meinem Bettchen und betete das Kindergebet, welches meine Mutter mich gelehrt hatte: „Ich bin klein, mein Herz mach rein, soll niemand drin wohnen, als Jesus allein." Ich fragte meine Mutter, ob sie auch dieses Gebet bete, doch sie verneinte es und sagte, sie bete das „Vaterunser im Himmel". Da horchte ich auf und sagte: „Mutti, dann haben wir also doch einen Vater im Himmel?"

Oft stand ich vor dem Fenster in unserer Mansardenwohnung und sah in den Himmel hinauf. Ich wollte doch so gern Kontakt zu meinem Vater im Himmel haben. Und wieder waren Wolken am Himmel, und ich konnte meinen Vater nicht sehen. Mein Kinderherz hatte sehr darunter gelitten.

Jahre später entdeckte ich beim persönlichen Bibellesen im Epheserbrief, Kapitel 3 die Verse: *„Deshalb* *beuge ich meine Knie vor dem Vater, der der rechte Vater ist über alles, was da Kinder heißt im Himmel und auf Erden.*" In der Bibel, die ich immer mehr schätzen und lieben gelernt hatte, stand also, dass ich einen richtigen Vater hatte. Mein Herz jubelte. Wie wunderbar wusste Gott an jenes Erlebnis aus den frühen Kindheitstagen anzuknüpfen!

Schon als Kind hörte ich mit großem Interesse die biblischen Geschichten, die uns zwei Diakonissen jeden Sonntag erzählten. Besonders die Missionsgeschichten und Biographien gesegneter Missionare, wie zum Beispiel Friedrich Traub und Hudson Taylor, oder die Missionsberichte der Missionare der Marburger Mission, die in Yünnan (China) waren, fesselten mein Kinderherz. Ich kannte sie alle mit Namen und betete für sie, obwohl ich selbst noch keine persönliche Entscheidung für Jesus getroffen hatte.

Als ich ungefähr elf Jahre alt war, erzählte uns eine Missionarin, die gerade in Deutschland war, mit strahlendem Gesicht von ihrem entsagungsvollen Dienst für Jesus. Sie berichtete von ihrer achtjährigen Gefangenschaft in Sibirien, von Wanzen, Flöhen und anderem Ungeziefer und von mancherlei Entbehrungen. Sie hatte solch eine Ausstrahlungskraft, dass ich sie heute noch im Geiste vor mir sehe. Während ihrer Verkündigung vernahm ich das erste Mal das Werben Jesu und die Frage: „Wärst Du bereit für solch einen Weg?" Ich bejahte seine Frage in meinem Herzen, fügte aber hinzu: *Ich weiß aber nicht, wie das zugehen soll.* Doch Gott legte schon damals die Spuren für meinen späteren Lebensweg.

Schließlich stellte ich mit 16 Jahren während einer Missionskonferenz mein Leben bewusst unter die Führung Jesu. Es waren besonders zwei Gottesworte, die tief in mein Herz fielen: „*Gib mir, mein Sohn, dein Herz und lass deinen Augen meine Wege wohlgefallen*“ (Sprüche 23,26) und aus Epheser 6,15 „*[...] an den Beinen gestiefelt, bereit einzutreten für das Evangelium des Friedens.*“

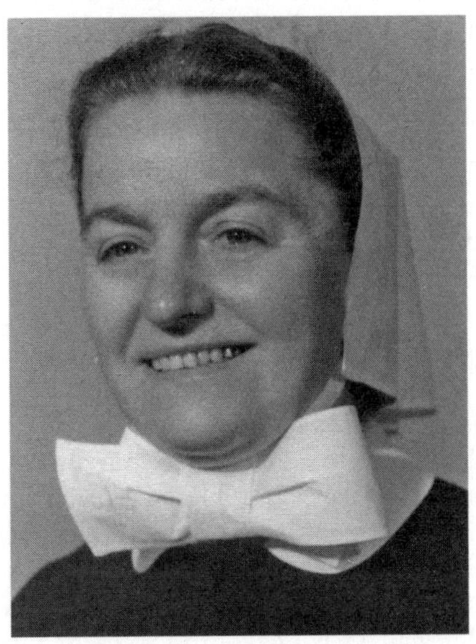

Ilse Roennpagel in den 60er Jahren.

Beide Worte prägten mein weiteres Leben. Ich hatte Vergebung meiner Sünden erfahren und freute mich über die Gewissheit, jetzt ein Kind Gottes zu sein.

Der Gedanke, Jesus einmal in der Äußeren Mission zu dienen, gewann immer mehr Gestalt in mir. Ich wollte den Weg allerdings nicht allein gehen, sondern an der Seite eines Missionsarztes, den ich mir vorzustellen versuchte. Ich kannte keinen. Doch dieser wunderschöne Traum lebte in meinem Herzen und bewahrte mich davor, mein Leben zu vertändeln. Ich wollte lernen, so viel ich konnte, um einmal für den Missionsdienst brauchbar zu sein. Dazu musste mir der Herr Jesus in der Schule des Lebens allerdings noch die richtigen Stiefel verpassen.

Nach meinem hauswirtschaftlichen Examen war ich zwei Jahre, von 1941–1943 in den Alpen bei einer kinderreichen Familie tätig und erzählte den Kindern, die unermüdliche Zuhörer waren, mit brennendem Herzen von Jesus.

Anschließend führte mich mein Weg in die Kinderklinik nach Nordhausen, um dort von 1943–1945 die Ausbildung zur Säuglings- und Kleinkinderschwester zu absolvieren. Das war ein Dienst nach meinem Herzen. Die Klinik wurde von Diakonissen geleitet, die ich sehr schätzte – kannte ich doch Diakonissen von Kindheit an durch den Besuch der Sonntagsschule.

Damals hatte ich sie allerdings nur im Sonntagskleid kennen gelernt, und jetzt stand ich im Alltag hautnah neben ihnen. Ich bewunderte sie, wollte aber selbst „nie“ eine werden. Ich hatte ja meinen Missionsarzt im Herzen und wollte Mutter werden. Oder sollte ich doch Diakonisse werden? Über viele Monate tobte dieser Kampf in meinem Herzen. Sollte ich etwa mein ganzes Leben lang schwarze Strümpfe, lange Kleider und immer nur Mittelscheitel tragen und niemals Mutter werden dürfen? Nein, das wollte ich nicht! – und damit war das Thema „Diakonisse“ für mich abgehakt. Wirklich? Bei mir vielleicht, aber nicht bei Gott.

Es war 1945. Das Examen war erfolgreich bestanden, aber der Krieg war noch nicht zu Ende. Tag und Nacht wurden wir durch Voralarm und Vollalarm auf Trab gehalten, weil wir alle Kinder in den

Keller tragen mussten und dort verharrten, bis die Sirenen Entwarnung gaben.

Am 3. April um 17.00 Uhr geschah es dann: Unsere Kinderklinik war einem Bombenangriff ausgesetzt!

Kurz zuvor hatte ich noch unverhofft Besuch von meinem Bruder Hans bekommen, der anschließend wieder zu seiner Truppe nach Ellrich zurückkehren musste. Da ertönte Voralarm! Ich bat ihn, in meinem Zimmer zu warten, bis wir Schwestern alle Kinder im Keller hätten, da dies bereits bei Voralarm geschehen musste. Anschließend wollte ich mich um ihn kümmern. Mein Zimmer lag im obersten Stockwerk unter dem Dach. Dann, plötzlich, binnen weniger Minuten: ein Volltreffer! Ohne Vollalarm.

Eine nahezu 50 Zentner schwere Sprengbombe machte die Klinik in wenigen Augenblicken dem Erdboden gleich und wir, 40 Schwestern und 160 Kinder, waren verschüttet. Mein erster Gedanke war: *Mein Bruder ist tot.* Ich hatte ihn ja noch gebeten, in meinem Zimmer zu warten. Er hatte jedoch das Angriffszeichen am Himmel gesehen und blitzschnell noch Kinder mit in den Keller getragen. Als er auf der letzten, oberen Stufe gestanden hatte, war er vom Trümmergeröll überschüttet worden. Doch er konnte sich herausbuddeln und mit einem Mal ertönte im Keller laut seine Stimme: „Wo ist meine Schwester?“ Er war gerettet.

Von da und dort konnte man laute Gebete vernehmen, ein Rufen und Schreien nach Befreiung. Ich konnte nicht laut beten, aber ich flehte in meinem Herzen zu Gott und versprach ihm, wenn er mich am Leben erhalten würde, dann würde ich ihm dienen, selbst als Diakonisse. Ich hatte noch nicht innerlich „Amen“ gesagt, als bereits die nächste Sprengbombe neben unserer Klinik einschlug. Durch den großen Luftdruck bei der Explosion wurde ein kleines Kellerfenster zerstört, und etwas frische Luft strömte herein – das war unsere Rettung. Für mich war es jedoch die sofortige Antwort auf mein gestammeltes Gebet. Selten hatte ich eine so prompte Gebetserhörung erlebt. Mein Bruder konnte uns noch sehr behilflich sein, einen Ausgang aus dem Trümmergewühl zu finden, bevor er spät am Abend zu seiner Truppe zurückkehrte. Wie dankbar war ich, dass keiner aus unserer Klinik, auch keins der Kinder bei diesem schweren Angriff ums Leben gekommen war.

Unsere Stadt war ein einziges, großes Trümmerfeld. Viele Menschen lagen tot auf den Straßen, andere waren unter den Trümmern verschüttet. Und mich hatte Gott am Leben erhalten – wie unbegreiflich. Wer war ich? Ich war nicht besser als die, die ihr Leben auf so brutale Weise verloren hatten. Ich wurde an Gottes Wort aus Jesaja 43, die Verse 1 und 4 erinnert: *„Fürchte dich nicht, denn ich habe dich erlöst; ich habe dich bei deinem Namen gerufen; du bist mein! ... Ich gebe Menschen an deiner statt und Völker für dein Leben.“* Dieses Wort wurde mir zum Fundament für meine Berufung.

Aber noch etwas Entscheidendes war geschehen: Mein wunderschöner Traum vom Missionsarzt war wie eine schillernde Seifenblase zerplatzt – und er tauchte nie wieder in meinem Herzen auf. Gott selbst hatte den Stellenwert verschoben und neue Prioritäten gesetzt. Ihm ging es um den Gehorsam in meinem Leben. Bei mir stand zwar Mission an erster Stelle, aber Gott ging es um meine Zubereitung für den Dienst in der Mission. Rückblickend sehe ich, wie Gott dieses Ziel schon von meiner Kindheit an verfolgte. Jeder Dienst, jedes Erlebnis, alles war Vorbereitung für den nächsten Schritt und gab mir Durchhaltekraft und Stehvermögen.

Ich legte bewusst das Eheglück und die Mutterschaft als ein lebendiges Opfer auf Gottes Altar und ging noch im selben Jahr, am 2. Oktober 1945, ins Mutterhaus nach Elbingerode. Diese Entscheidung habe ich nie bereut. Sie ist wohl immer wieder einmal auf den Prüfstein gekommen, aber sie ist bis heute ein lebendiges Opfer geblieben.

Vor meinem Eintritt hatte ich noch geholfen, unsere Trümmer mit abzutragen. Das war Schwerstarbeit. Welch ein Geschenk und welch große Freude, als ich dabei als erstes meine persönliche Bibel wiederfand.

Ich sollte noch eine bleibende Lektion für mein Leben lernen, die mir Gott anhand eines unauslöschlichen Erlebnisses am Weihnachtsfest 1946 tief ins Herz prägte.

Eine Schwester in meinem Alter und ich hatten das Vorrecht, zu Weihnachten ins Mutterhaus fahren zu dürfen. Nach dem ersten halben Jahr im Mutterhaus waren wir wieder nach Nordhausen versetzt worden. Welch eine Freude war es für uns, Weihnachten nach Elbingerode fahren zu dürfen. Wir sollten jedoch am Nachmittag des 24.12. wieder zurückkommen, da wir beide am ersten Feiertag zum Dienst eingeteilt waren.

Wir genossen das Zusammensein im Schwesternkreis und blieben natürlich bis zur letzten Minute im Mutterhaus. Bis zum Bahnhof nach Drei-Annen-Hohne mussten wir allerdings fünf Kilometer laufen, und in der Nacht war Neuschnee gefallen. Hinzu kam noch, dass wir einen Reisekorb und einige Taschen voll Gepäck mitnehmen sollten, da in der damaligen Zeit selten jemand diese Reise machen konnte. Man muss den Harz kennen, um sich in unsere Lage versetzen zu können. Im Sommer ist der Weg von Elbingerode nach Drei-Annen-Hohne ein wunderschöner Spazierweg, aber im Winter im tiefen Schnee eher ein Abenteuer. Es fuhr an diesem Tag nur ein Zug, den wir erreichen mussten. Doch es lag nicht nur Neuschnee, sondern die Straße war auch noch frisch gestreut, sodass wir mit unserem Schlitten und all dem Gepäck kaum von der Stelle kamen. Da wurde ich an einige Abkürzungswege erinnert, die bestimmt nicht gestreut waren – und so war es dann auch! Herrlich! Wir kamen in den Rillen der Skispuren ziemlich zügig voran, doch wohin führte der Weg der Skispuren? Wir verloren die Orientierung und gerieten immer tiefer in den Wald hinein.

Plötzlich hörten wir unseren Zug aus weiter Ferne pfeifen. Was nun? Zurück? Nein, diese Blöße wollte ich mir nicht geben. Das wäre eine zu große Demütigung.

Also stapften wir weiter durch den Schnee. Eine Stunde nach Abfahrt des Zuges waren wir am Bahnhof in Drei-Annen-Hohne. Wir ließen den Schlitten dort und gaben den Reisekorb auf und liefen mit unseren Taschen auf den Bahnschwellen weiter nach *Elend*, der nächsten Bahnstation. Es war inzwischen 19.00 Uhr und dunkle Nacht, und müde waren wir auch. Damals gab es nur ein Hotel, wo wir für die Nacht einen Unterschlupf suchten. Der freundliche Wirt zeigte uns ein Zimmer, natürlich eiskalt, mit unbezogenen Betten, und er bot an, unsere Strümpfe am Herd zu trocknen. Wir fragten uns: „Wie konnte das passieren?“ Ja, der Weg war schlecht und schwer. Aber tief in meinem Inneren wusste ich, dass ich schuld an der ganzen Misere war.

Ich war davon überzeugt, dass wir ohne weiteres 40 km nach Nordhausen laufen könnten. Es waren nicht die ersten 40 km, die ich im Leben zurücklegt hatte, aber bisher war es immer Sommer gewesen, und es hatte kein Schnee gelegen.

In einem Rucksack, den wir hatten mitnehmen sollen, waren ein Paar Stiefel. Sie gehörten dem Bruder unseres damaligen Direktors, Pfarrer Haun. Da sie aber meiner Mitschwester, der die Füße schon sehr weh taten, genau passten, riet ich ihr, die Stiefel anzuziehen. Buße mussten wir so oder so tun, da machte ein Paar getragene Stiefel nun auch keinen Unterschied mehr.

Schlaf fanden wir keinen in jener Nacht, und als wir am nächsten Morgen unsere Strümpfe vom Wirt holen wollten, waren diese aus Versehen verbrannt. Auch das noch! Gut, dass wir noch ein Paar dabei hatten. Wir liefen weiter – zunächst nach *Sorge*, dem nächsten Ort, und dann in Richtung *Beneckenstein*. Dort mussten wir noch an einer gefährlichen Stelle vorbei, an der schon viele Frauen vergewaltigt worden waren – doch wir kamen unbehelligt vorbei. – Schließlich machte sich unser hungriger Magen bemerkbar – nur gut, dass wir unsere Weihnachtsplätzchen vom Mutterhaus dabei hatten. Wir setzten uns auf einen Kilometerstein und machten Rast bei Plätzchen und kaltem Schnee als Getränk. In *Ilfeld* setzten wir uns in einen eiskalten Zug, der am Abend nach *Nordhausen* fahren sollte. Die letzten 15 km! Vorher waren wir noch an einer Kirche vorbeigekommen, aus der gerade das Lied ertönte:

„In wie viel Not hat nicht der gnädige Gott über dir Flügel gebreitet!“

Ja, das hatten wir erlebt!!!

Unsere Schwestern in Nordhausen hatten uns schon als vermisst gemeldet. Nun waren sie, trotz aller durch uns bereiteten Not und Enttäuschung froh und dankbar, dass wir wieder da waren, und am nächsten Tag hatten wir Dienst. Das war eine schmerzliche, aber heilsame Lektion für mein Leben: *Eigene Wege führen immer ins Elend, ob der Ort nun Elend heißt oder nicht, und Gott erspart uns auch nicht die Buße für unsere eigenen Wege.* Darum wurde es mir auch so wichtig, mir nicht einen eigenen Weg aus der DDR zu suchen. Viel zu tief steckte jenes Erlebnis in meinem Herzen, und es bewahrte mich auch später manches Mal vor einem eigenen Weg.

In den nächsten neun Jahren arbeitete ich als frohe und dankbare Diakonisse, der Gott schon einige Paare Stiefel angezogen hatte, in den verschiedensten Bereichen: Kinderarbeit, private Wochenpflege, Gemeinschaftsarbeit, Seelsorgedienste in Rüstzeiten und Evangelisationen. Mein Herz brannte jedoch in der ganzen Zeit weiter für die Mission. Würde sich je ein Weg und eine Möglichkeit dafür abzeichnen? Ich klammerte mich weiter an Gottes Verheißung, *„denn auf alle Gottesverheißungen ist in ihm das Ja“* (2. Korinther 1,20).

Sein Wort und manche Glaubenslieder und Aussprüche prägten mein Leben, unter anderem der Satz: „Jede recht verbrachte Wartezeit bringt einen köstlichen Gewinn in unser Leben.“ An Anfechtungen und Glaubenskämpfen fehlte es dabei jedoch nicht. Sie verstärkten sich noch, als 1952 unsere Missionare aus politischen Gründen China verlassen mussten.

Was nun? Wollte Gott doch nicht, dass ich ihm in der Äußeren Mission diente? Ein einziges Fragen und

Ringen brach in meinem Herzen auf: Hatte ich mich geirrt? Oder hatte Gott sich etwa geirrt? Nein, das konnte nicht sein!

So wurde ich eines Tages von unserer damaligen Hausmutter gefragt, ob ich auch bereit sei, nach Brasilien statt nach China zu gehen? Doch warum gerade nach Brasilien? Und wieder war es Gottes Wort, das mir Hilfe und Wegweisung gab, denn ich stieß auf Apostelgeschichte 16. Gott hatte sein Ziel nicht geändert, auch wenn er die Führung in ein anderes Land gelenkt hatte.

Zu diesem Zeitpunkt wusste ich lediglich von unserer Missionsarbeit in China, von Brasilien hatte ich noch nichts gehört, außer, dass es in Südamerika lag. Was für Menschen lebten dort? Was für eine Sprache wurde dort gesprochen und welche Missionare dienten dort?

Ich erbat mir eine Bedenkzeit und setzte mich intensiv damit auseinander. Ich hätte sehr gerne schriftliches Material gehabt, doch das war in der DDR nicht aufzutreiben. Schließlich gab ich im Glauben und Vertrauen auf den Herrn mein Ja.

Aber ich lebte immer noch in der DDR. Wie sollte ich sie je verlassen, ohne die Grenze schwarz zu überschreiten? Das wollte ich nicht. Nein, einen eigenen Weg wollte ich nicht mehr wählen, dafür hatte ich eine zu schmerzhafte Lektion erfahren! Wenn es wirklich Gottes Weg mit mir war, dann war es ihm auch möglich, mir eine legale Ausreise zu ermöglichen und ich brauchte nicht nachzuhelfen. Aber je länger desto unmöglicher erschien eine legale Ausreise. Weiter warten und auf Gott vertrauen, auch gegen alles Sichtbare, war fortan meine Glaubensdevise. Mit großer Freude lernte ich viele Gottesworte, Psalmen und zusammenhängende Bibeltexte auswendig. Sie stärkten mein Herz und befreiten mich von aufkommenden Zweifeln. Ich tat weiter froh meinen Dienst für Jesus, immer in der Gewissheit *„Ist die rechte Zeit nur da, so wird alles lauter Ja."* (Benjamin Schmolck)

Auf wunderbare Weise durfte ich dieses „Ja" Gottes im Januar 1955 erleben. Als einzige Diakonisse konnte ich auf legalem Weg die DDR verlassen. Das war eine unumstößliche Bestätigung des Willens Gottes für meinen weiteren Lebensweg – ich wusste mich gewiss geführt.

Zwei Monate später konnte ich auf einem deutschen Frachter nach Brasilien reisen.

Ilse Roennpagel mit Mutter und Bruder vor der ersten Ausreise nach Brasilien.

Erste portugiesische Worte und ihre Anwendung

Wenige Tage vor meiner ersten Ausreise nach Brasilien im April 1955, besuchte ich eine schwerkranke Schwester, die viele Jahre in Brasilien tätig war und nun krankheitshalber nicht mehr ausreisen konnte. Sie sagte zu mir: „Damit du schon einmal die portugiesische Sprache üben kannst, schreibe ich dir ein paar Worte auf einen Zettel."

Da stand u.a.: „bom dia" (Guten Tag.), „como vai?" (Wie geht's?), „boa tarde" (Guten Nachmittag.), „boa noite" (Guten Abend./Gute Nacht.), „durma bem" (Schlaf gut.) und „obrigada" (Danke)." Außerdem schrieb sie mir noch einen Satz auf, den ich gut auswendig lernen sollte: „deixa – me em paz." (Lass mich in Frieden!). Sie sagte: „Wenn du die Leute nicht verstehst, dann sag einfach: „Lass mich in Frieden."

So zog ich los mit meinem Zettel in der Tasche und übte: auf den Ämtern, im Wartezimmer beim Arzt und überall dort, wo sich noch die Gelegenheit bot. Aber immer, wenn ich an den Satz kam: „deixa – me em paz", dachte ich: *Hoffentlich brauchst du den nicht!*

Auf dem Schiff erfolgten dann die ersten Praxisversuche in der neuen Sprache. Das Wort, das ich am meisten verwendete, war das Wort: „Danke." Ich konnte ja nicht zu jeder Tageszeit „Guten Nachmittag" oder „Schlaf gut" sagen, aber das Wort „Danke" passte in jede Situation, ob ich sie verstand oder nicht. Einmal priesen mir in einer Hafenstadt die Händler ihre Waren an und redeten mit vielen Gesten auf mich ein. Mit einem „Danke" wurde ich sie los. Ich brauchte nicht einmal „Lass mich in Frieden" zu sagen.

Beim Verladen der Fracht, die im Schiffsbauch verstaut werden sollte, lehnte ich mich ganz interessiert an das Geländer. Ich wollte sehen, wo all die großen Kisten und Autos im Schiffsbauch unseres Frachters unterkommen sollten. Da ertönte ein schriller Pfiff hoch oben vom Kran, begleitet von heftigen Worten, die ich nicht verstand. Ich wusste nur, dass ich gemeint war. Da konnte ich nicht mit dem Satz antworten: „Lass mich in Frieden!", sondern habe mit erhobenem Kopf ein lautes „Danke!" nach oben gerufen. Am Abend dankte ich Gott dafür, dass man mit einem dankbaren Herzen durch die ganze Welt kommt.

Es waren ungefähr 15 Jahre vergangen. Viele frohmachende Gotteserlebnisse hatten meinen Alltag ausgefüllt. Ich hatte ein weites Missionsfeld und konnte vielen Menschen mit Rat und Tat helfend zur Seite stehen. Aber es gab nicht nur frohmachende Erlebnisse. Die dunklen Stunden, in denen mir der Blick auf Jesus verloren ging, haben auch nicht gefehlt. Ich konnte ihn einfach nicht mehr verstehen, und ein „Warum?" folgte auf das nächste.

In dieser Zeit stand mir jenes Erlebnis meiner ersten Schiffsreise plötzlich wieder lebendig vor Augen. Gott sprach zu mir: „Weißt du noch, damals auf dem Schiff, da hast du nicht verstanden, was die Menschen mit dir geredet haben. Und was hast du geantwortet?"

„Danke."

„Hast du die Worte des Mannes im Kran verstanden, dem du mit erhobenem Kopf ein „Danke!" nach oben geschleudert hast?"

„Nein, Herr."

„Und dann bist du in deiner Kabine auf die Knie gegangen und hast mir gedankt, dass man mit einem dankbaren Herzen durch die ganze Welt kommt.

Und jetzt? Du verstehst mich nicht mehr, aber ich bin derselbe und es ist derselbe Weg und den beschreite. Danke dich durch!"

Aber wofür sollte ich Gott danken? Ich dankte Gott mit und ohne Tränen für seine große Liebe, für seine Treue und Barmherzigkeit, die ich bisher in so mannigfaltiger Weise erfahren durfte. Dabei erinnerte er mich an das Wort aus Psalm 50,23: *„Wer Dank opfert, der preiset mich, und da ist der Weg, dass ich ihm zeige das Heil Gottes."* Im Lauf der Jahre ist es mir immer deutlicher geworden, dass es dabei nicht nur um ein flüchtiges „Dankeschön" geht, sondern um ein Dankopfer.

So ist es damals wieder hell geworden in meiner Seele. Ich war geheilt. Seitdem stehe ich auf dem Übungsfeld, *Gott für alles zu danken.* Und wenn ich es vergessen sollte, dann erinnert er mich durch seinen Geist ganz bestimmt wieder daran.

Gott steht zu seinem Wort, auch in Brasilien

Meeresbucht von Rio de Janeiro; Zuckerhut.

Am 27. April 1955 kam ich in Rio de Janeiro an.

Vor mir der Corcovado mit der 38 m hohen Christusstatue, die Arme ausgebreitet, zum Segnen bereit. Ein Erlebnis für sich!

Rio de Janeiro Corcovado; Christusstatue.

Die Losung und der Lehrtext dieses Tages haben sich mir unvergesslich eingeprägt. Die Losung stand in 1. Mose 12,2: *„Ich will dich segnen und du sollst ein Segen sein."* Rückblickend kann ich nur sagen, dass ich meinen Dienst in den vergangenen Jahrzehnten unter den Segenshänden Jesu ausrichten durfte. Und dann der Lehrtext aus Hebräer 11,1: *„Es ist aber der Glaube eine feste Zuversicht auf das, was man hofft, und ein Nichtzweifeln an dem, was man nicht sieht."* Wie konkret und unauslöschlich habe ich das erlebt!

Das Ziel meiner Reise war die Großstadt Curitiba. Weil in den anderen Häfen nicht so viel Ladung wie vorgesehen zu löschen gewesen war, lief das Frachtschiff bereits acht Tage früher in Rio de Janeiro ein und sollte schon am nächsten Tag seine Reise fortsetzten. Ich wurde unruhig. In Deutschland hatte man mir gesagt, ich würde abgeholt und brauche mich nicht zu sorgen. Aber wusste Herr Missionar Grischy, der mich abholen sollte, von dieser Änderung des Fahrplans?

Brasilianische Fahne und Zuckerhut gegenüber vom Corcovado.

Ich bat den Agenten, in Curitiba anzurufen. Doch der sagte lächelnd: „Schwester, wir sind jetzt in Brasilien. Das ist hier nicht so einfach." Das ist heute bei geräuschfreien Telefonverbindungen per Satellit kaum mehr vorstellbar, aber vor 50 Jahren waren die fast 1000 km zwischen Rio und Curitiba ein enormes Problem. Auf mein dringliches Bitten hin versuchte es der Agent dann doch noch, in Curitiba anzurufen. Beim Abendbrot sagte der Kapitän jedoch: „Schwester, wir haben alles versucht, aber wir haben nur Störgeräusche in der Leitung gehabt. Sie bleiben hier bei uns. Wir lassen Sie nicht allein das fremde Land betreten. Es soll noch Menschenfresser in Brasilien geben. Nein, wir lassen Sie nicht allein ins Ungewisse ziehen."

Das waren Aussichten! *War das der Auftakt zur Mission im Land meiner Berufung?*

Immer wieder hielt ich dem Herrn Jesus sein Wort vor: „Herr, du hast gesagt: *Es ist aber der Glaube eine feste Zuversicht auf das, was man hofft, und ein Nichtzweifeln an dem, was man nicht sieht.* Herr, ich habe dich in Deutschland als den Gott erlebt, der zu seinem Wort steht. Und jetzt? Wirst du dein Wort auch auf brasilianischem Boden einlösen? Ich will es einfach glauben. Lass es mich erneut erleben."

Die Realität sah so aus, dass das Schiff Rio de Janeiro in 12 Stunden verlassen sollte. *Also nur noch eine Nacht, und was dann? Nein, es darf kein Zweifel aufkommen.* „Herr, ich glaube, dass du zu deinem Wort stehst!"

Im Speisesaal des Schiffes war reges Leben, da der Kapitän ein Festessen für die Fahrgäste gab, die schon einmal mit diesem Frachter gereist waren. Man sah vornehm gekleidete Menschen einhergehen, die alle ihre besondere Duftnote verbreiteten. Mitten im Gewühl der Masse tauchte ein einfach gekleideter Mann auf, der schnurstracks auf meinen Tisch zusteuerte. Ich labte mich gerade am eisgekühlten Nachtisch (Ich weiß es noch genau, es gab Vanilleeis mit Schokoladenstreuseln), als mich der Herr ansprach: „Verzeihung, sind Sie Schwester Ilse?"

Um alles in der Welt, wer kennt mich hier in der fremden Weltstadt mit Namen, war meine erste Reaktion.

„Mein Name ist Grischy. Ich komme, um Sie abzuholen.“

Die Offiziere, die mit mir am selben Tisch saßen, waren dermaßen verblüfft, dass sie nur mit dem Kopf schüttelten. Wie konnte das möglich sein? Was war hinter den Kulissen geschehen?

1320 Tonnen brasilianischer Stahlbeton. 700 Meter über dem Meeresspiegel. Das ist die berühmte Christus-Statue, die über die Stadt Rio de Janeiro blickt.

Als der Agent am Mittag versucht hatte, eine Verbindung nach Curitiba zu bekommen, war der damals 17-jährige Sohn von Missionar Grischy am Telefon gewesen. Bei allen Geräuschen in der Leitung hatte er nur zwei Namen verstanden, und zwar meinen Namen und Rio de Janeiro. Sofort hatte er seinen Vater, der außer Haus war, benachrichtigt. Dieser fuhr dann mit dem Motorrad zum Flughafen, um eine Passage für einen Direktflug nach Rio zu kaufen. Doch alle Plätze waren ausverkauft, auch für das nächste Flugzeug. Danach gab es für diesen Tag keine Möglichkeit mehr. Doch Herr Grischy hatte sich nicht abweisen lassen. Er hatte Stunden auf dem Flugplatz verbracht und immer weiter auf eine Möglichkeit gehofft, doch noch nach Rio zu kommen. Bei der Zwischenlandung eines Flugzeuges aus Argentinien war ein Passagier ausgestiegen, der seine Reise aus dringenden Gründen in Curitiba unterbrechen musste. Nun konnte Herr Grischy den freigewordenen Platz einnehmen und auf diese Weise in zwei Stunden nach Rio de Janeiro gelangen.

So treu ist Gott. Wie wunderbar hat er sein Wort eingelöst. So wird und bleibt Gottes Wort im Herzen lebendig.

Verdrehte Welt, brasilianische Höflichkeit und Schnitzer beim Sprachstudium

Jetzt war ich also in Brasilien, wo alles ganz anders war: Der Mond ist eine Sie, „a lua“, und die Sonne ein Er, „o sol“. Im Juli ist es Winter, im Dezember Hochsommer, die Tomate und die Milch sind auch männlich und vieles andere ist verdreht – nach meiner Vorstellung. Die Hähne fingen bereits um Mitternacht an zu krähen, die Frösche quakten laut die ganze Nacht – so etwas wie eine Morgen- oder Abenddämmerung gab es nicht. Die Türklinken gingen nach oben und nicht nach unten auf. Wirklich verdrehte Welt! Es gab damals auch keine Schaufenster, die gesamte Ware lag halb auf dem Bürgersteig, der aus mehr Löchern als Gehfläche bestand. Als ich – wie gewöhnlich mit schnellem Schritt – selbst in der Mittagshitze auf der Straße lief und mich wunderte, warum um diese Zeit so wenige Menschen unterwegs waren, bekam ich zur Antwort: *„Wer um diese Zeit auf der Straße ist, kann nur ein Verrückter oder ein Deutscher sein."* Nun wusste ich es.

Eine weitere Neuheit war für mich, dass man bei einem Hausbesuch vor der Haustür laut in die Hände klatschen musste, bis jemand erschien oder die Hunde den Besuch ankündigten.

Die Abfahrt und Ankunft eines Busses war damals eine sehr ungewisse Angelegenheit. Als ich einmal auf einen Bus wartete, sah ich an der Haltestelle viele Menschen auf ihren Reisesäcken sitzen, die als Koffer dienten. Ganz gemütlich aßen die Leute aus einer Büchse ihr Vesperbrot, das aus gebratenen Hühnerbeinen bestand. Als ich mich nach der genauen Abfahrt des Busses erkundigte, antworteten sie: „Das können wir Ihnen nicht sagen, wir sitzen auch schon seit gestern hier."

Heute kann ich nur sagen: Ja, damals! Inzwischen ist Brasilien ein modernes und fortschrittliches Land geworden, das über moderne Busbahnhöfe verfügt mit genauen Ankunfts- und Abfahrtszeiten.

Die Brasilianer sind sehr höflich. Beim Verabschieden kann man oft hören: „Es ist noch früh, willst du wirklich schon gehen?" Das sagen sie selbst dann, wenn die Zeit schon vorgerückt ist.

Ich bin dankbar, dass ich so viel von ihnen lernen durfte. Insbesondere durch ihre Gastfreundschaft und Herzlichkeit, aber auch durch ihre immerwährende Bereitschaft, nach Möglichkeit zu helfen, sind sie mir ein großes Vorbild geworden.

Natürlich begann ich sofort, die portugiesische Sprache zu erlernen und wandte sie auch sogleich an. Ich wollte nicht warten, bis ich fließend portugiesisch sprechen konnte. Es lag mir am Herzen, so schnell wie möglich in die Sprache hineinzuwachsen, denn ich wollte den Menschen ja in der Landessprache dienen. Bei meinen ersten Anwen-dungsversuchen passierten mir allerdings mancherlei Schnitzer.

Das Fahren im Omnibus war oft lebensgefährlich, insbesondere dann, wenn es in die Kurve ging. Da wurde man nicht selten plötzlich mit Schwung auf den Schoß des gegenübersitzenden Nachbarn befördert. So erging es mir einmal. Ich wollte mich natürlich entschuldigen und sagte auf portugiesisch nicht „Verzeihung“ sondern „Mit Erlaubnis“. Der junge Mann lächelte mich verträumt an und antwortete „pois nao“ – „Warum nicht?“

Ein andermal erzählte ich den Frauen in der Frauenstunde stolz von meiner ersten selbstgekochten Apfelsinenmarmelade. Sie wollten sich ausschütten vor Lachen und fragten: „Schwester Ilse, wie haben Sie das denn fertiggebracht?“ Ich hatte sie nach einem bewährten Rezept gekocht und war immer noch davon überzeugt, dass es mir gelungen war, als die Frauen mir erklärten, dass man von Apfelsinen niemals Marmelade kochen könne. Dazu brauche man Marmellen. Und wie hieß nun das, was ich gekocht hatte? Das bezeichnet man als Apfelsinenkonfitüre oder einfach „Süßes von Apfelsinen“. Das sollte der Mensch wissen!

Ich war ungefähr zwei Monate im Land, als ich beim Einkaufen einen jungen Missionar traf. Er fragte mich, ob ich ihm dabei helfen könne, für seine hochschwangere Frau Rollmöpse zu kaufen. Genau wie ich hatte er das Wörterbuch immer dabei. Damals gab es nur einen Supermarkt in Curitiba, heute kann man sie nicht mehr zählen, die Supermärkte und großen Handelsketten. Sie schießen wie Pilze aus der Erde.

Wir standen also in einer Ecke des Supermarktes und konnten in unserem Wörterbuch das Wort „Rollmops“ nicht finden. Nach einigen Fragen, die von wildem Gestikulieren begleitet waren, verließen wir unverrichteter Dinge den Supermarkt. Immerhin wussten wir jetzt, dass der Rollmops ein ausländisches Produkt war und in Brasilien auch Rollmops hieß.

Anschließend begleitete mich der Missionar noch bei meinem Auftrag, Gardinenringe zu besorgen. Hierfür waren wir in ein Juweliergeschäft geschickt worden. Ich brachte der Verkäuferin mein Anliegen vor, und sie wollte von mir wissen, wie viele ich benötigte. Ich sagte ihr: „Ein Dutzend.“ Daraufhin wurde sie etwas verlegen und schaute mich und den Missionar an. Was konnte jemand nur mit einem Dutzend Eheringen wollen? Inzwischen hatte ich den einen mitgenommenen Gardinenring aus meiner Tasche gekramt. Kopfschüttelnd und immer noch leicht verlegen sagte sie: „Da müssen Sie wohl in ein Eisenwarengeschäft gehen.“ Dort bekam ich dann auch meine Gardinenringe.

So könnte ich lange fortfahren. Missgeschicke und Schnitzer dieser Art vergisst man nicht und sie machen das Leben lange Zeit bunt und erheitern das Gemüt. Ich konnte viel daraus lernen, aber ich muss heute immer noch darüber schmunzeln.

Eine andere Welt

Es war nur wenige Monate nach meiner Ankunft in Brasilien, da durfte ich mit einigen Missionaren meine erste Reise ins Landesinnere machen. Das war ein Erlebnis, das ich nie vergessen habe.

Unser Reiseziel war Ortigueira, damals ein Ort am Ende der Welt. Am Spätnachmittag schlugen wir auf einer kleinen Kolonie unser Nachtlager auf, weil bereits die Dunkelheit hereinbrach. In Brasilien ist es nach Sonnenuntergang innerhalb einer halben Stunde stockfinstere Nacht.

Eine liebe, gläubige Frau, schon im vorgerückten Alter, erwartete uns. Ihre Freude war groß, da sie sonst kaum Besuch bekam. Sie stellte uns eine kleine Holzschüssel mit etwas Wasser hin, damit wir darin, einer nach dem anderen, unsere Füße waschen konnten. Eine schmackhaft bereitete Suppe war das Nachtessen. Anschließend zeigte sie uns das Nachtlager. Da lag eine mit frischem Maisstroh aufgeschüttete Matratze, auf der wir Frauen schlafen durften. Doch an Schlaf war nicht zu denken: Das frische Stroh wirkte eher wie Stecknadeln auf unserem Körper. Es war ein Pieken und Kratzen ohne Ende. Außerdem freuten sich die Flöhe und Moskitos sehr über unsere Bekanntschaft. Beim ersten Morgengrauen verließen wir deshalb unser Nachtlager. Zum Zähneputzen bekamen wir ein Glas Wasser und zum Waschen wieder eine Schüssel mit etwas Wasser für alle. Gern tranken wir den frischgekochten schwarzen, aber zuckersüßen Kaffee, durch den wir richtig wach wurden.

Als ich jedoch erfuhr, dass die Frau jeden Tag einige Kilometer bis zum nächsten Fluss laufen musste, um sich Wasser zu holen, packte mich das Erbarmen. Das waren also die Verhältnisse im Landesinneren. Da konnte ich mich nur schämen über mein Lustigmachen und verborgenes Kritisieren, und ich fühlte mich stärker denn je gerade zu diesem Volk hingezogen.

In Ortigueira angekommen, mussten die Missionare mit einem anderen Bruder etwas besprechen, und ich sollte unterdessen ein wenig spazieren gehen. Doch wo sollte ich hingehen? Damals gab es nur eine einzige holprige Erdstraße, auf der Hühner, Schweine, Hunde und anderes Getier herumliefen. Ich brauchte jedoch gar nicht lange zu überlegen, da öffneten sich schon die Fensterluken, und die Leute bewunderten mich neugierig, als sei ich das letzte Weltwunder. Noch nie hatten sie so ein „Gebilde" gesehen! Doch sie winkten freundlich und baten mich, in ihr Haus zu kommen. Ich leistete der Einladung gern Folge, aber wie sollte ich mich mit meinen wenigen Brocken Portugiesisch mit ihnen unterhalten? Ich zeigte auf eine Karte mit Schlangen, die an der Wand hing, und sagte: „Das ist Kobra." Mit der Nennung der Tiere auf der Straße war mein Sprachschatz dann auch schon erschöpft. Ob die Missionare ihre Besprechung noch nicht beendet hatten? Ich überlegte betend, was ich den Leuten vom Evangelium weitersagen könnte. Es waren immer mehr Menschen gekommen, so dass der kleine Raum inzwischen völlig überfüllt war. Da wurde ich an einen Chorus erinnert, den ich kürzlich übersetzt hatte: *„Freuet euch, dass eure Namen im Himmel geschrieben sind."* Der Text stammt aus der Bibel und steht in Lukas 10,20. Ich sang ihnen das Lied immer wieder vor, und schließlich stimmten alle mit ein. Wir sangen laut und immer wieder – so lange, bis die Missionare, die dem lauten Singen gefolgt waren, wussten, wo ich war. Nachdem die Hausfrau allen Anwesenden noch ein Gläschen schwarzen, zuckersüßen Kaffee angeboten hatte, verabschiedeten wir uns. In meinem Herzen war ich unendlich froh und dankbar für die Erfahrung, meine erste, nicht gesuchte, stümperhafte „Stunde" gehalten zu haben. Was mochte daraus geworden sein?

Einige Jahre später wurde ich gebeten, in der kleinen Holzkirche in Ortigueira einen Gottesdienst zu halten. Inzwischen konnte ich mich in der Landessprache problemlos verständigen, und es war mir eine Freude, Gottes Wort unter das Volk zu bringen. Ob die kleine Hütte von damals noch existierte? Und ob die Bewohner noch lebten?

Ja, die Hütte stand noch, und sogar der Besitzer lebte noch. Die Freude des Wiedersehens war auf beiden Seiten groß, und er begann zu erzählen: „Wir haben das Lied nicht vergessen, welches Sie uns gelehrt haben. Es hat nur eine ganz andere Melodie bekommen. Doch jetzt sagen Sie mir bitte einmal die Bedeutung der Worte: *„Freuet euch, dass eure Namen im Himmel geschrieben sind.“* Wie gerne kam ich seiner Bitte nach, insbesondere da mir gerade dieses Wort eine große Freude und Stärkung für meinen persönlichen Glauben geworden war.

Kinder und Hunde sind der Reichtum der Armen

Von jenem unvorhergesehenen Besuch waren nicht die stümperhaften Wortfetzen geblieben, sondern das wiederholt gesungene Gotteswort, das der Mann sogar nach Jahren noch Wort für Wort wiederholen konnte. Der Einstieg über Schlangen, Schweine, Hühner und Hunde hin zu dem Wort *„Freuet euch, dass eure Namen im Himmel geschrieben sind“* war wirklich keine Exegese, die man theologisch hätte absegnen können. Und doch hatte Gott sie benutzt, um einem Menschen sein Wort ins Herz zu senken.

Nach meinem Diensteinsatz in Joinville wurde ich sogar nach Ortigueira versetzt, um dort mit einer Pionierarbeit zu beginnen. Wie wunderbar benutzte Gott die verborgenen, aber bereits vorgeknüpften Fäden zu einem fruchtbaren Dienst.

Kaingang-Indianer beim Körbeflechten. Rio das Cobras

Nicht weit entfernt von unserer Missionsstation Ortigueira lag das Indianerreservat Queimadas. Damals wohnte noch kein Missionar dort. Es sprach sich schnell herum, dass es nun in Ortigueira eine Krankenstation gab, auf der alle Menschen behandelt wurden. So kamen auch die Indianer zu uns, jedoch nicht nur zur Behandlung. Bei einer Begegnung mit Frau Dr. Ursula Wiesemann von den Wycliff-Bibelübersetzern hatte sie mir einige Schallplatten in der Kaingangsprache geschenkt. Diese waren von ihr übersetzt und von Senior Pedrinho, einem sehr netten gläubigen Indianer, aufgesprochen worden. Immer wieder kamen die Indianer mit der Bitte, ihren „Bruder" hören zu dürfen. Stundenlang hockten sie vor dem Plattenspieler auf der Veranda, lachten, hörten andächtig zu und bejahten nickend die Botschaft. Jedes Mal brachten sie andere Indianer mit, so dass über die gehörte Botschaft des Evangeliums Vertrauensbande entstanden – auch ohne verbale Verständigung.

Marika, eine gläubige Indianerin.
Wir kennen uns schon über 30 Jahre. Queimadas.

Durch diese Kontakte lernte ich die Indianer mehr und mehr lieben. Umso freudiger war ich dann einige Jahre später bereit, einen einjährigen Vertretungsdienst für das Missionsehepaar Baldzer am Rio das Cobras zu übernehmen. Es handelte sich hier zwar um ein anderes Reservat, aber es wurde ebenfalls von Kaingangindianern bewohnt. Am Rio das Cobras war damals die Zentrale unserer Indianerarbeit, Missionar Walter Hery und seine Frau Ilsedore hatten die Verantwortung für die Pionierarbeit unter den Indianern. Mit ihnen unternahm ich auch die erste Missionsreise zu den Kaingangindianern – eine Reise mit vielen Gotteserlebnissen.

Gerne übernahm ich die Vertretung. Baldzers waren sonst für die Krankenpflege zuständig, lebten aber nun zwecks Sprachstudium für ein Jahr in Brasilia. Da wurde so manches „Indianerlein" unter meinen Händen geboren, aber auch das Missionarskind Ester Vensóg Hery. Es ist das zweite Kind von Herys und heute selbst Missionarin unter den Indianern im Norden von Brasilien.

Frohes Wiedersehen Februar 2007
Casturina, eine alte Indianerin, die schon vor 40 Jahren zu Fuß (8 km) nach Ortigueira gekommen ist, um behandelt zu werden.
Queimadas

Bei meinen Besuchen in den Indianerhütten lernte ich das Zuhören. Ansonsten sprach ich die Sprache der Liebe, die immer und überall zu einer Brücke der Verständigung wurde und Vertrauensbande knüpfte, nicht nur unter den Indianern. Meine Lehrer waren die Kinder, die mir viele gängige Wörter in ihrer Sprache beibrachten. Manche davon habe ich bis heute nicht vergessen.

Eine Indianerin mit ihren beiden Kindern. Rio das Cobras

Durch den umfangreichen Dienst im Ambulatorium waren die Kontakte zu den Indianern zahlreich. Oft brachten sie ihre schwerkranken Kinder erst in letzter Minute und auch erst dann, wenn die Zaubermedizin nicht geholfen hatte. Lausekappen brauchte ich für die Indianerkinder nicht zu machen, obwohl zu meiner Zeit fast alle Kinder Läuse hatten. Die Mütter entlausten ihre Kinder meistens selbst: Sie saßen vor ihrer Hütte, knackten geschickt die Läuse und steckten sie sich in den Mund. Eine wirksame, jedoch nicht zur Nachahmung empfohlene Methode. Neben den Läusen hatten die Kinder meistens den Bauch voller Würmer – oft nicht nur eine Sorte! Ich hatte jede Menge Wurmmittel zu verteilen. Verschiedene Gesundheitsprojekte schufen im Laufe der Jahre zusätzlich Abhilfe und verbesserten den Gesundheitszustand der Indianer.

Von der Fülle an Erlebnissen mit den Indianern sind mir viele wie ins Herz gebrannt, doch ich möchte nur eines herausgreifen und erzählen.

Ein Indianer kam mit Halsschmerzen auf die Krankenstation. Glücklicherweise war zu dieser Zeit gerade Missionar Baldzer für kurze Zeit auf der Station, so dass er dem Indianer verschiedene Mittel gegen Halsschmerzen verabreichen konnte. Keines der Medikamente schlug jedoch an, so dass der Indianer schließlich nichts mehr schlucken konnte. Herr Baldzer nahm eine Rachenspiegelung vor und entdeckte dabei tief im Rachen einen 2 cm langen Wurm, den er mit einer Pinzette entfernte. Gleich darauf waren noch mehrere andere Würmer zu sehen, die schnell wieder verschwanden (vermutlich in der Speiseröhre). Wie sollten wir sie entfernen? Die einzige Möglichkeit war, die Würmer mit Äther zu betäuben, so dass sie nach und nach ihr Versteck verließen und an die Oberfläche kamen. Dort konnten sie dann entfernt werden. Über mehrere Tage zog sich diese Prozedur für den armen Mann hin und auch für uns war das ganze nicht sehr angenehm. Ich hielt den Kopf des Patienten, und Herr Baldzer entfernte währenddessen mit der Pinzette die Würmer. Am Ende lagen 147 kleine und große Würmer, „berne“ genannt, zum Vernichten in der Nierenschale. Der gesamte Rachenraum des Mannes war bis in die Speiseröhre hinein zerfressen.

Doch wie war so etwas möglich? Es gibt eine Art Schmeißfliege, die ihre Eier auf die Haut oder wunde Stellen legt. Diese werden zu Larven, die sich dann bei Mensch und Tier unter der Haut einnisten und Geschwüre verursachen. Keine Körperstelle, auch nicht die Kopfhaut, ist davor sicher. Selbst Wäschestücke, bevorzugt die Nähte, werden davon befallen, so dass man jedes Wäschestück bügeln musste, um sich dagegen zu wehren. Eine andere Methode, diese Parasitenart zu töten, war die, ein Stück Speck oder ein Heftpflaster auf der betroffenen Stelle zu befestigen. Die Parasiten bekamen keinen Sauerstoff mehr, bissen sich am Speck oder dem Heftpflaster fest und konnten so entfernt werden. Doch wie kamen sie in den Mund von Senior Manoel, unserem Indianer? Offenbar hatte er aufgrund seiner Halsschmerzen mit offenem Mund geschlafen – da hatte die Schmeißfliege ein offenes Tor gehabt. Oft legte sie aber auch ihre Larven auf gewöhnliche Hausfliegen, und diese sorgten dann für die Übertragung. Ich begegnete Menschen, deren Gesicht regelrecht zerfressen und entstellt war. Wie froh und dankbar waren wir daher, dass Senior Manoel wieder schlucken und leichte Nahrung zu sich nehmen konnte. Einige Zeit päppelten wir ihn noch mit Stärkungsmitteln und

Vitaminpräparaten auf, bis er schließlich wieder entlassen werden konnte.

Diese Parasitenart begegnete mir auf fast allen Stationen, manche waren mehr, andere weniger davon heimgesucht. Heute hat man jedoch den Eindruck, dass sie im Laufe der Jahre ihre Region gewechselt hat – wir sind nicht böse darum.

Wir wurden auf der Krankenstation nie arbeitslos. Waren es nicht die Würmer, dann hielten uns die Sandflöhe auf Trab. Im Inneren des Landes liefen und laufen die meisten Menschen barfuß. Da Sandflöhe Menschen meist an den Füßen befallen, bietet sich hier eine ideale Angriffsfläche. Meistens nisten sie sich unter den Nägeln ein, aber sie sind gut zu erkennen und können leicht mit einer Nadel entfernt werden. Oft waren auch die Fingernägel davon befallen. Meistens kamen die Menschen jedoch erst zu uns, wenn sie bereits eitrige Entzündungen hatten, die Sandflöhe schon Nester gebaut und diese mit vielen Eiern belegt hatten. Oft waren die Leute erst zum Zauberer gegangen, der die Wunden mit Tabak behandelt hatte, was wiederum für uns bedeutete, dass wir sie zur Desinfektion mit Kaliumpermanganat-Bädern und mit Antibiotika behandeln mussten.

Neben Würmern und Flöhen gab es viele Durchfallerkrankungen. Häufig mussten wir unsere kleinen und großen Patienten erst an den Tropf legen, um der Austrocknung entgegenzuwirken. In der Nähe unserer Krankenstation waren mehrere Hütten für kranke Indianer errichtet worden. War ein Mitglied der Familie erkrankt, reiste die ganze Familie mit dem gesamten Hausrat und den Tieren an. So konnten wir sie aber auch gezielt behandeln.

Wir verrichteten unseren Dienst zwar weit weg von

aller Zivilisation, aber Langeweile bekamen wir nie.

Es war mir eine große Freude, miterleben zu dürfen, wie sich die Indianer dem Evangelium öffneten. Sie dichteten viele Lieder selbst und sangen sie oft stundenlang mit großer Inbrunst. Da konnte man nicht anders: Man wurde einfach mitgerissen.

Frohes Wiedersehen Februar 2007.
Samuel Hery mit seiner Schwester Rebeca
und mir. Queimadas.

Nach zehnjähriger intensiver Missionsarbeit kamen die ersten Kaingangindianer zum Glauben an Jesus, und es entstanden erste Indianergemeinden. Queimadas war eine solche erste Gemeinde. Die Missionare Ka'egso und Christiane Hery (Ka'egso ist der älteste Sohn von Walter und Ilsedore Hery) waren und sind verantwortlich für die weitere Missionsarbeit unter den Kaingangindianern, und ich denke gerne an meine Begegnungen und Besuche bei ihnen in Queimadas zurück. Ich durfte sogar noch einmal Hebammendienste bei der Geburt ihres zweiten Kindes Samuel leisten. In all den Jahren gab es auch immer wieder Kontakte und herzliche Begegnungen mit den Indianern, die ich vor Jahren entweder in Ortigueira oder am Rio das Cobras kennengelernt hatte.

Rebeca Hery mit ihrer kleinen Indianerfreundin Isalina. Queimadas.

Als ich vor einigen Jahren zu einem Abschiedsbesuch am Rio das Cobras war, fragte mich ein Indianer: „Kennst du mich noch?“ – „Nein“, war meine Antwort. „Aber ich kenne dich noch. Weißt du noch, als ich meinen Sohn todkrank zu dir gebracht hatte?

Er hatte schon kein Leben mehr in sich. Da hast du mit dem da oben (er zeigte mit seiner Hand nach oben) gesprochen. Ich wollte nichts von dem da oben wissen, ich wollte mein Kind wieder lebend haben. Doch dann hat der da oben geantwortet und mein Sohn ist wieder gesund geworden. Das war vor 21 Jahren. Heute glaubt unsere ganze Familie an Gott, an den da oben." Was für ein glaubensstärkendes Erlebnis, dass mein Dienst, auch der unter den Indianern, nicht vergeblich war.

Habe deine Lust am Herrn

In Psalm 37,4 steht: „*Habe deine Lust am Herrn, der wird dir geben, was dein Herz wünscht.*"

Einer meiner Herzenswünsche war es, gleich nach meinem Examen als Säuglingsschwester die Ausbildung zur Hebamme zu absolvieren. Doch Gott hatte einen anderen Plan für mich, einen wunderbaren Segensplan. Er wollte mir einen Herzenswunsch erfüllen, der zunächst gar nicht danach aussah.

Ich hatte bereits meinen ersten Zeitblock im Ausland hinter mir. Sollte sich mein Wunsch während meines Heimataufenthaltes erfüllen, indem ich nun den Beruf der Hebamme vor meiner nächsten Ausreise erlernte? Nein, das war nicht möglich. Ich hätte zu lange in Deutschland bleiben müssen. Wie schade, insbesondere da die Not, die ich in Brasilien bei vielen Geburten miterlebt hatte, mir schwer auf dem Herzen lag. Dort waren nämlich immer gleich die Zauberer oder Spiritisten oder Freimaurer und die so genannten Waldhebammen zur Stelle und wandten ihre „Hilfe" anhand vieler okkulter Praktiken an. Ich aber stand daneben, hätte den Dienst verreichten können, aber ohne eine staatliche Zulassung wollte ich es nicht tun.

Ich war sehr dankbar, dass ich während meines Heimataufenthaltes wenigstens in Frankfurt ein paar Wochen auf einer Entbindungsstation arbeiten durfte. Die dort verlebte Zeit war sehr segensreich und prägend für meinen weiteren Dienst in Brasilien. Ich musste krankheitshalber in Oberhausen stationär aufgenommen werden. Auch aus dieser Zeit hatte Gott wunderbare Segensverbindungen für meinen Dienst in Brasilien entstehen lassen.

Wieder zurück in Brasilien sollte ich, zusammen mit einer freien Hebamme, einen zweijährigen Vertretungsdienst auf der Entbindungsstation eines Krankenhauses in Joinville im Staat Santa Catarina übernehmen. Dort arbeiteten auch einige unserer deutschen Schwestern. Es war ein kostbarer und ausfüllender Dienst mit vielen Gotteserlebnissen, so richtig nach meines Herzens Wunsch. Auch wenn es kein Schulbetrieb in der Vorbereitung auf ein Examen war, so war der Dienst dennoch – wie ich wenig später erfahren sollte – sehr wertvoll für mein weiteres Leben.

Wo sich mir die Gelegenheit bot, sagte ich mit Lust und Liebe und großer Freude das Evangelium weiter. Außerdem konnte ich während der Zeit auf der Wöchnerinnenstation meinen schriftlichen Sprachkurs abschließen. Hierzu war zwar mein gesamter „Privatfleiß" gefordert, aber es lohnte sich.

Der Vertretungsdienst war beendet. Nun sollte ich die Verantwortung auf einer Missionsstation im Inneren des Landes übernehmen. Dort sollte auch ein Ambulatorium eingerichtet werden, um neben dem Dienst der Wortverkündigung sowohl kranken Menschen als auch bei Geburten zu helfen. Wieder tauchte der Wunsch nach einem anerkannten Abschluss in meinem Herzen auf, da ich die Dienste in dem neuen Ambulatorium nicht ohne staatliche Genehmigung verrichten wollte und konnte.

Zusammen mit unserem verantwortlichen Missionar ging ich in Curitiba, der Hauptstadt des Staates Parana, von Behörde zu Behörde. Dort erfuhren wir von einem zuständigen Arzt, dass es die Möglichkeit gab, in vier Wochen das Hebammenexamen abzulegen. Hatte ich richtig gehört? Ich konnte es kaum glauben! Es sei die letzte Gelegenheit, das Examen auf diese Weise zu machen, denn nach einem neuen Gesetz sei dieser Abschluss nur noch mit einem brasilianischen Universitätsabschluss möglich.

Jetzt galt noch die Bedingung, dass ich zwei Jahre unter ärztlicher Aufsicht auf einer brasilianischen Entbindungsstation gearbeitet haben musste, eben meine zwei Jahre Vertretungsdienst in Joinville. Eine weitere Voraussetzung war das schriftliche Sprachexamen, denn wie hätte ich mich sonst bei den schriftlichen Prüfungen sachgemäß ausdrücken können? Wie wunderbar hatte Gott alles vorbereitet!

Schon nach dem schriftlichen Examen schieden zwei Drittel der Bewerberinnen aus. Es folgten die praktischen Prüfungen, die sehr streng beurteilt wurden. Eine Prüfungskommission beobachtete jede Teilnehmerin und stellte ihr gezielte Fragen. Den Abschluss der Examenswoche bildete die mündliche Prüfung.

Am letzten Abend saßen wir im Schwesternkreis beim gemeinsamen Bibellesen zusammen. Der angegebene Text der Tageslese war 2. Mose 2, in dem die Geburt von Mose erzählt wird. In der portugiesischen Übersetzung stand: *„Und Gott war den Heb-*

ammen gut.“ Das war für mich der krönende Abschluss meines gut bestandenen Examens. Nun hatte ich 1964 endlich ein Diplom in der Landessprache in der Hand und konnte unter Deckung des Staates ungehindert und überall meinen Dienst verrichten. *Oh du treuer Gott!*

Im Nachhinein erfuhr ich, dass kein einziges ausländisches Examen im Land anerkannt wurde. Hätte ich meine Hebammenausbildung bereits in Deutschland gemacht, so hätte sie mir nichts genutzt.

Buchstäblich hatte ich, wie schon so oft erlebt: *„Habe deine Lust am Herrn, der wird dir geben, was dein Herz wünscht.*“ Das Geheimnis liegt dabei in der ersten Hälfte des Verses – habe deine Lust am Herrn!

Einen Missionsarzt wollte ich heiraten. In Brasilien musste ich viele Dinge wagen, die in Deutschland nur ein Arzt tun durfte, einfach um ein Menschenleben zu retten. Deshalb gab man mir gelegentlich den Namen *„Urwalddoktor“*. Aber ich bekam auch noch andere Namen. Einer meiner Herzenswünsche war es gewesen, Mutter zu werden. Auch diesen Wunsch wusste Gott wunderbar zu erfüllen. Oft durfte ich erleben, dass Frauen und Männer zu mir sagten: „Du bist uns mehr als unsere Mutter“ und ich wurde *„Mutter des Volkes“* oder *„Buschmutter“* genannt.

Kinder wollte ich auch haben, wenigstens ein halbes Dutzend! Gott schenkte mir jedoch mehr als ein halbes Dutzend, er vervielfachte diesen Wunsch sehr großzügig. Ungefähr 2000 Kinder sind es im Laufe von fast 40 Jahren geworden!

Wenn das keine Gebetserhörungen und erfüllte Herzenswünsche sind? Für mich sind und waren sie es! Wenn wir unsere Herzenswünsche auf den Altar

Gottes legen, dann weiß er sie recht zu erfüllen und zu seiner Zeit einen wunderbaren Segensplan daraus zu machen.

Durch den Staub gehen

Viele sinnvolle Aussprüche erhalten ihren Wert und Inhalt erst dann, wenn man sie in der Praxis persönlich durchlebt hat. Ich hörte beispielsweise vor mehreren Jahren einmal den Ausspruch: *Diakonisse sein heißt durch den Staub gehen.* Was es aber praktisch bedeutete, *„durch den Staub zu gehen"* – das habe ich erst in Brasilien erfahren.

Im Inneren des Landes waren viele Straßen und Wege noch nicht asphaltiert. Bei Regenwetter waren die meisten Wege schlammig, der Lehmboden aufgerissen und von zahlreichen Erdlöchern gekennzeichnet. Unzählige Male machte ich Bekanntschaft mit solchen Wegen, entweder zu Fuß oder mit dem Wagen, der dann nicht selten im tiefen Schlamm stecken blieb. Eigentlich konnte man kaum noch von einer Straße sprechen, obwohl sie sich doch über viele Kilometer vor einem hinzog.

Und bei Trockenheit? Da fuhr oder ging ich auf diesen Wegen durch dichte Staubwolken. Die große Trockenheit, reger Lastkraftwagenverkehr, ständiger Wind – all das waren Ursachen für die aufgewühlten dicken Staubwolken, die bei tropischer Schwüle oft wie eine dichte Nebelwand auf der Straße standen. Der Weg war nicht mehr sichtbar und manches Verkehrsunglück musste auf das Konto „Staubnebel" gebucht werden.

Was dabei unabänderlich zu sein schien: Es gab

kein Ausweichen vor dem Staub, man musste einfach hindurch und die mit dem Staub aufgewühlten Bazillen schlucken. Doch damit nicht genug: Die feinen Staubkörner nisteten sich förmlich in der Wäsche ein. Selbst beim Kochen der Wäsche blieben sie hartnäckig in den Nähten haften, und die weiße Wäsche konservierte die Farbe sogar noch besser als andere Wäschefarben, so dass die Kleidung schnell braun oder rot wurde und blieb.

Ja, es gibt kein Ausweichen vor dem Erdenstaub – auch nicht in geistlicher Hinsicht. Man muss einfach hindurch! Ich kann nicht sagen, dass es immer ein „hindurch, hindurch mit Freuden" war, aber das Wissen, dass Gott selbst mit hindurch ging, löste tiefe Dankbarkeit in mir aus, und ich durfte seine bewahrende Macht oft erfahren.

Schnell zum Briefkasten

In Deutschland gehört es wie selbstverständlich zum Alltag, dass man jeden Tag seine Post aus dem Briefkasten holt oder sie auf den Schreibtisch gelegt bekommt. In Brasilien funktioniert dieses System auch – oder aber auch nicht, je nachdem, wo man stationiert ist.

Da meine Einsatzorte meist im Inneren des Landes lagen, erfuhr ich sehr schnell, dass es nicht selbstverständlich ist, Post zu bekommen oder sie schnell zum Briefkasten bringen zu können.

Auf einer Missionsstation waren beispielsweise Post und Briefkasten 100 km entfernt, auf einer anderen „nur" 30 km. Und wenn ich dann manchmal bei schlechten Wegeverhältnissen die vielen Kilometer voller Spannung und Sehnsucht, endlich wieder einmal Post aus der Heimat zu bekommen, zurückgelegt hatte, stand ich vor verschlossener Tür, weil die Post an diesem Tag aus irgendeinem Grund geschlossen hatte. Traurig musste ich dann wieder zurückfahren.

Auf einer anderen meiner Stationen hatte der Beifahrer des Linienbusses das Amt, die Post zu verteilen. Bei jedem Halt an einem Marktflecken drückte er schnell irgendjemandem, der gerade an der Haltestelle stand, das Postbündel für den Ort in die Hand.

Wieder einmal hatte ich seit langer Zeit keine Post aus der Heimat erhalten. Vielleicht war der Postsack wie so manches Mal gleich am Hafen im Meer gelandet. Wie mochte es meinen Lieben und den Schwestern im Mutterhaus gehen? Ich kam mir einsam und verlassen vor. Doch Gott verließ mich nicht – daran hielt ich mich in meinem Herzen fest.

Einmal kam ich abends todmüde von einer Bibelstunde aus einem weit entlegenen und schwer zu erreichenden Gehöft nach Hause. Durch die halsbrecherische Fahrt fühlte ich mich kraftlos und wollte mich fast im Dunkeln bettfertig machen.

Doch was sah ich beim Anzünden einer Kerze? Einen blauumrandeten Brief! Den musste jemand unter der Küchentür durchgeschoben haben. Im Nu war alle Müdigkeit wie weggeblasen. Ich lobte beim Lesen den Herrn und dankte ihm, dass er mich zu später Nachtstunde so zu erfreuen wusste. Erst nachdem ich den Brief zum wiederholten Mal gelesen hatte, bemerkte ich, dass er bereits seit über vier Wochen unterwegs war. Nach dem schmutzig befingerten Umschlag zu urteilen, musste er sich auch schon einige Zeit in unserer Gegend herumgetrieben haben.

So war es dann auch gewesen. Der Beifahrer des Busses, der für die Verteilung der Briefe zuständig war, hatte ihn wohl aus Versehen schon einige Stationen vorher abgegeben. Er wanderte von Hand zu Hand und büßte einige seiner Briefmarken ein, bis er schließlich unter meiner Küchentür landete.

Wenn ich den Brasilianern, die in meiner Umgebung fast alle Analphabeten waren, von meiner großen Sehnsucht nach Post aus der Heimat erzählte, mussten sie lachen und konnten mich nicht verstehen. Sie bekamen so gut wie keine Post. Wenn sie einmal etwas zu schreiben hatten, kamen sie zu mir, und ich schrieb für sie den Brief.

Nur einmal habe ich diese Bitte abgelehnt. Es ging darum, einen Liebesbrief zu beantworten. Ich fragte das 13-jährige Mädchen, was ich schreiben sollte. Sie antwortete mir: „Schreiben Sie das, was Sie fühlen. Nun, Sie wissen schon, was man da so tief drinnen empfindet." Wie war sie bitter enttäuscht, als ich ihr sagte, dass ich so gar nichts für ihren Verehrer empfand und fühlte. Unverrichteter Dinge und mit knallender Haustür ging sie mit Papier und Bleistift wutentbrannt nach Hause.

Abenteuer gratis

Einmal wurde ich zu einer jungen Frau gerufen, die ihr zweites Kind erwartete. Die beiden Männer, die quer durch den Wald zu mir geritten waren, wussten selbst nicht, wie es um die Frau stand – sie baten mich nur inständig zu kommen. Der Bürgermeister stellte mir einen geländegängigen Wagen und einen Fahrer zur Verfügung. Schnell hatte ich alles für die

Geburt zusammengepackt. Die Männer, die mehrere Stunden unterwegs gewesen waren, hatten inzwischen die Pferde an einen Baum gebunden und stiegen mit in den Wagen, da sie uns ja den Weg zeigen mussten. Es war gegen 17.00 Uhr, als wir auf zunächst asphaltierter Straße aufbrachen.

Und dann begann eines meiner zahlreichen „Gratisabenteuer". Die Fahrt ging quer durch das Dickicht des Waldes: Bald sah man schaurige Abgründe, dann wieder steile Felsen, Geröllfelder und undurchdringlicher Wald wechselten sich ab. Nur gut, dass wir in einem Geländewagen mit Allradantrieb saßen und der Fahrer solche Strecken kannte. Nachdem wir ungefähr 60 km Fahrt zurückgelegt hatten, kamen wir an einen kleinen Marktflecken, der damals nicht mehr als zehn Häuser hatte. Unsere Begleiter sagten: „Hier müssen wir den Wagen stehen lassen, ab hier geht es nur noch mit dem Pferd weiter." „Aber ich habe noch nie auf einem Pferd gesessen", entgegnete ich ihnen. „Das macht nichts, Schwester. Alles macht der Mensch irgendwann zum ersten Mal. Wir besorgen ihnen ein zahmes Pferd", und damit waren sie verschwunden.

Nach geraumer Zeit kamen sie mit den geliehenen Pferden zurück – und ich bekam das nach ihrer Ansicht zahmste. So bestieg ich das Pferd: in beiden Händen eine vollgepackte Tasche mit Geburtsmaterial, Medizin, Säuglingswäsche und dergleichen. Das Pferd trabte durch kleine Flüsse, über geröllige Wege, bergauf und bergab auf schmalen Pfaden immer tiefer in den Wald hinein, dessen Zweige sich über mir berührten. Ich umschlang den Hals meines Pferdes fest – ich wollte ja nicht wie Absalom mit den Haaren im Baum hängen bleiben! Es war schon stockfinstere Nacht geworden, als wir endlich von lautem Hundegebell begrüßt wurden, froh, endlich unser Ziel erreicht zu haben.

In der kleinen Holzhütte warteten unzählige Menschen auf uns. Wo kamen die bloß alle her, weit und breit war keine andere Hütte zu sehen? Später erfuhr ich, dass sich sowohl bei einer Geburt als auch bei einem Todesfall alle Menschen, die nur irgendwie zu erreichen sind, einfinden. Ein Mann bat mich: „Bitte, leih mir dein Pferd. Ich habe meinen kranken Vater schon so lange nicht mehr besuchen können." Und das mitten in der Nacht! Es blieb mir nichts anderes übrig, als mein geliehenes Pferd weiter zu verleihen – das schien in dieser Gegend üblich zu sein. Ich dachte nur: *Hoffentlich kommt der Mann auch mit dem Pferd wieder.*

In der Ecke eines Raumes lag das ungefähr zwei Jahre alte erste Kind der Frau in einer Holzkiste zwischen Holz und Papier, schlief fest und bekam von dem ganzen nächtlichen Trubel nichts mit. Die junge Frau sah mich ängstlich an, weil ihre Schwägerin vor wenigen Tagen bei der Geburt des elften Kindes gestorben war. Sie war auf dem Weg zum Krankenhaus verblutet.

Die Angst der jungen Frau war durch die Androhung der Zauberer, sie werde das gleiche Schicksal erleiden, nur noch verstärkt worden. Aber es war kein Anlass zur Besorgnis für Mutter und Kind vorhanden. Sie hatte noch ein paar Schwangerschaftsmonate vor sich, und ich konnte ihr Mut machen, die Säuglingswäsche und einige Stärkungsmittel überlassen und mit ihr beten. Dadurch, dass ich sowieso noch auf mein Pferd warten musste, hatte ich sogar die Gelegenheit, ihr noch mehr von Gott zu erzählen.

Der Autofahrer, der sich vor der Haustür auf einen Stein gesetzt hatte, wurde ungeduldig und sagte: „Mir graut vor der Rückreise. Nein, so eine Fahrt habe ich in meinem ganzen Leben noch nicht gemacht." Ich konnte ihm nur sagen, dass der Gott, der uns bis hierher gebracht hatte, auch wieder gut nach Hause bringen würde.

Ein Wiehern kündigte die Rückkehr meines geliehenen Pferdes an, so dass wir endlich die Heimreise antreten konnten. Wir stärkten uns noch mit einem starken süßen Kaffee, der uns auf der Rückfahrt wach halten sollte. Dankbar brachen wir auf. Inzwischen schien der Vollmond gespensterhaft durch die Bäume. Der schmale Pfad bis zum Wagen schien endlos lang, und langsam machten sich meine Knochen bemerkbar!

Im Dorf machten wir wie abgesprochen die Pferde fest und fuhren todmüde und mit schlotternden Knien nach Hause. Um den Autofahrer wach zu halten, erzählte ich ihm unterwegs noch manch gutes Wort von der rettenden Liebe Jesu. Gegen fünf Uhr morgens, also genau zwölf Stunden später, waren wir müde, aber dankerfüllt und behütet wieder zu Hause.

Einige Monate später erfuhr ich, dass die Frau ein gesundes Kind geboren hat – ein frohmachender und krönender Abschluss eines echten Abenteuers.

Der Platz, den Gott mir gab

Immer wieder werde ich gefragt, warum ich mir einen so einsamen Platz, weit weg von jeglichem kulturellen Leben, ausgesucht habe. Frohen und dankbaren Herzens bezeuge ich gern, dass nicht ich mir diesen Platz ausgesucht habe, sondern Gott. Ich weiß mich von ihm berufen und auf den Platz gestellt, den er für mich ausgesucht hat.

Obwohl unsere Missionsstation sehr einsam lag, waren meine Tage keineswegs langweilig, ja es ging mitunter recht interessant und abenteuerlich zu.

Ganz stolz erzählte mir eine Mutter, deren Kind ich Wurmmittel verabreicht hatte, dass ihr Kind viele Würmer verloren habe. Damit das Kind jedoch nicht plötzlich ohne Würmer sei, habe sie schnell aufgehört, die Medizin weiter zu geben. „Ein paar Würmer muss der Mensch doch bei sich behalten", so lautete ihre einfache und logische Erklärung.

Wir knüpfen Freundschaft.

Überhaupt waren meine Patienten sehr erfinderisch bei der Diagnose ihrer Krankheiten. Allerdings sagten sie mir nicht, wo genau es wehtat. Ich bekam eher zu hören:

„Schwester, das Kind hat Luft im Nabel, schon von Geburt an." Es war überhaupt interessant, wo die Luft überall sitzten konnte: in den Augen, Ohren und Armen, in den Knochen und Gelenken, den Zähnen und im Blut. Wo fand ich dafür die richtige Medizin? Immer wieder stand ich betend vor meinen Medikamentenregalen und bat Gott um Weisheit und Gnade, die Medizin zu finden, die meinen Patienten helfen konnte.

Meine Patienten waren aber auch sehr hilfsbereit und zeigten mir genau, wo ich hinspritzen sollte. So bekam ich zum Beispiel zu hören: „Aber Schwester, mein Gesäß ist doch nicht krank! Sie müssen mir die Spritze in den Arm geben. Da habe ich meine Leberschmerzen. Das müssten Sie als studierte Frau doch wissen!" Wenige Tage später kam der Patient mit den angeblichen Leberschmerzen wieder und wollte die nächste Spritze haben. Er meinte, es müsse eine heilige Medizin gewesen sein, weil sie ihm sofort geholfen habe. Diesmal dürfe ich sie auch ruhig wieder an dieselbe Stelle spritzen.

Ein Mann, der zu meinen Dauerpatienten gehörte, sagte, er habe eine alte Lungenentzündung in der Lunge, die manchmal bis in den Bauch hinein wandere, er wolle eine Medizin, die das verhindere. Eine Frau wiederum klagte, sie habe das Gelenk in der Lunge gebrochen.

Solche Diagnosen stellen selbst die besten Spezialisten in Deutschland nicht!

Einmal musste ich einen Mann zum Arzt schicken. Ich bereitete alles vor, damit er die Fahrt und Konsultation nicht zu bezahlen brauchte. Wenige Tage später saß er – ziemlich enttäuscht – wieder vor meiner Tür. Ich fragte ihn, was denn der Arzt festgestellt habe. „Nichts", war seine Antwort. „Haben Sie ihm denn nicht gesagt, wo es Ihnen wehtut?" „Nein, das hätte er auf den ersten Blick von selbst wissen müssen. Dafür hat er doch studiert! Ich bleibe bei meiner Diagnose, die stimmt immer!" *Armer Mann*, dachte ich, *da ist wirklich guter Rat teuer.*

Ein andermal erklärte ich einer Frau, dass sie ihrem Kind dreimal täglich einen gestrichenen Teelöffel voll Medizin geben sollte. Viermal folgte die Wiederholung meiner Erklärung. Als eine, die alles sehr gut verstanden hatte, verließ die Mutter den Behandlungsraum. Als ich sie einige Tage später fragte, ob sie die Medizin richtig verabreicht habe, kam prompt die Antwort: „Wir haben keine gestrichenen Teelöffel, aber dem Kind geht es schon besser."

Hier half keine Diskussion, sondern vielmehr ein stilles Gebet voll Vertrauen auf Gottes Barmherzigkeit.

Auch eine Pfütze in der Schüssel ist nass. Muss das sein?

Oft wollten Leute ein ganz bestimmtes Medikament. Sie hatten zwar den Namen vergessen, meinten aber, es bestimmt wiederzuerkennen. „Es war eine rote Flüssigkeit, die gut geschmeckt hat. Schwester, zeigen Sie mir einmal alle Medizin, die rot aussieht. Ich erkenne sie sofort wieder." Ein anderer wollte braune Tabletten, die selbst der Hund gerne fraß und auch das Schwein vom Nachbarn. Was mochten das für Tabletten sein?

Nicht immer gelang es mir, die Wunschmedizin zu finden. Oft bat ich die Hilfesuchenden, die kranken Menschen doch zu mir oder zum Arzt zu bringen, und meistens brauchten diese dann ein völlig anderes Medikament.

Das Neugeborene wird auf einem Schlammweg von Arm zu Arm befördert.

Jemand bekam ein krampflösendes Mittel, das ihm offenbar gut half. Als aber an drei darauffolgenden Tagen immer wieder dieselbe Medizin verlangt wurde, wurde ich stutzig und bat darum, den Patienten zu mir zu bringen. „Schwester, das ist nicht möglich, denn dann müsste ich alle Hühner herbringen."

In solchen Situationen war viel Durchblick, Geduld und Liebe nötig, um bei aller Unwissenheit recht zu helfen, bis wirklich geholfen war! Und solche Hilfe schloss die ganze Hausgemeinde, also Menschen und Vieh mit ein.

Eines Tages kam ein verzweifelter Mann zu mir und erklärte, dass sein Schwein, ein Mutterschwein, nicht werfen konnte. „Sie haben doch schon so viele Frauen entbunden. Können Sie mir nicht eine Medizin für mein Schwein geben? Es ist mein ganzer Reichtum, ohne mein Schwein bin ich ein bettelarmer Mann." Was sollte ich tun? Es stimmte, ich hatte schon viele Frauen entbunden, aber noch kein Schwein! Wieder einmal stand ich betend vor meinen Medikamentenregalen und bat den Herrn um Weisheit.

Ich mixte dem Mann eine Medizin und bat ihn, er möge mir doch bitte Nachricht geben, was aus dem Schwein geworden sei. Schnell war er verschwunden. Nach einigen Wochen begegnete ich ihm unterwegs. Schon von weitem rief er mir laut jubelnd zu: „Mein Mutterschwein hat elf Ferkel geworfen! Ich bin jetzt der reichste Mann."

Nach der gut überstandenen Geburt kann die Fahrt über Stock und Stein nach Hause erfolgen.

Von den Wunderwirkungen der Medikamente erfuhr ich auch gelegentlich bei den Hausbesuchen. Da gab es viel zu staunen und zu danken, und der Blick wurde geweitet für Gottes unendliche Barmherzigkeit, Liebe und Treue, die alles Denken übersteigt und alle Unwissenheit überstrahlt.

O, ein treuer Gott, dem ich gehören und dienen darf, gerade hier.

Gott ist ein Meister im Anknüpfen

Wunderbar und oft durfte ich in den verschiedensten Situationen meines Lebens erfahren, wie Gott an ein Erlebnis, das mitunter Jahre zurücklag, wieder anknüpfte und so seine Geschichte schrieb. Manchmal war es eine richtige Kettenreaktion von vielen Erlebnissen, die Gott zu meinem und dem Heil anderer benutzte. Das durfte ich sowohl bereits in frühen Kindheitstagen, als auch in Brasilien immer wieder auf wunderbare Weise erleben.

Es war auf einer Hochzeit. Der Bräutigam war ein einheimischer Missionar, der während unserer Missionsarbeit Christ geworden war, so dass alle Missionare, darunter auch ich, eingeladen waren.

Die junge Braut war auf dem Straßenbauamt als Sekretärin tätig. Ihr Chef, der Direktor des Straßenbauamtes, war auch zu der Hochzeit eingeladen und saß mir gegenüber. Wir kamen ins Gespräch. Diese Unterhaltung mit dem Straßenbaudirektor hatte, wie so viele andere Begegnungen, eine Kette von Ereignissen und Verknüpfungen zur Folge.

Kurze Zeit danach fuhr ich mit einer Schwester im voll beladenen VW-Bus nach Ortigueira. Die

Straße war noch nicht asphaltiert, und es hatte ein heftiger Tropenregen eingesetzt. Wir steckten mit unserem Wagen in der Erdstraße fest, als uns ein Jeep mit dem Straßenbaudirektor entgegenkam. Wir erkannten uns sofort und er gab uns ein Schreiben für den Wachposten, der uns bald begegnen würde, mit. Dieser sollte dann aufgrund des autorisierten Schreibens dafür sorgen, dass wir mit dem nächsten Traktor die letzten 30 km durch den Schlamm gezogen würden.

Aginaldo, 17 Jahre alt, am Tag seiner Bekehrung 1997, mit seinem Onkel.

Wir kamen zu dem besagten Wachposten, der gerade dabei war, einige Drahtseile in einem Versteck zu verstauen. Dann verließ er den Posten, weil seiner Meinung nach an diesem Tag kein Traktor mehr kommen würde. Aber es kam doch noch einer. Wie gut, dass ich wusste, wo die Drahtseile versteckt waren, denn ohne ein Seil hätte er uns nicht ziehen können.

Einige Zeit später wurde ich von einem Mann zur

Entbindung seiner Frau gerufen. Er sagte: „Ich kenne Sie.“ Dann fügte er lachend hinzu: „Sie haben mein Drahtseil aus dem Versteck holen lassen.“ Das Kind wurde gesund geboren, kam aber einige Wochen vor der Zeit und wog nur 1,5 kg. Außerdem hatten die Mutter und alle anderen Anwesenden einen Infekt. Ich nahm das Würmchen mit nach Hause und bereitete ihm aus Wärmflaschen ein Bettchen. Dabei wurde ich an meine Zeit auf der Frühgeburtenstation in der Kinderklinik erinnert und wie gerne ich dort gearbeitet hatte. Der Vater brachte jeden Tag Muttermilch für den Säugling, und als das Baby über zwei Kilo wog, durften es die Eltern wieder mit nach Hause nehmen. Die Freude und Dankbarkeit waren groß.

Aginaldo in der Bibelschule.

Eine weitere Folge der Hochzeitsbegegnung mit jenem Straßenbaudirektor war, dass wir viele Säcke Zement und Splittsteinchen für den Bau unserer

Kirche von ihm geschenkt bekamen. Wir haben einen treuen Gott. Er ist und bleibt ein Meister im Anknüpfen.

Einmal fuhr ich mit einer Frau mitten in der Nacht zur Entbindung ins Krankenhaus der Kreisstadt. Der Arzt schaute besorgt und bat mich, dabei zu bleiben. Ich sprach der jungen Frau Mut zu und nahm mich ihrer an, so wie es für mich als gläubige Hebamme ganz selbstverständlich war. Doch in dem Arzt warf mein Verhalten viele Fragen auf. Er wollte wissen, ob die Frau meine Verwandte sei. Nein, das sei sie nicht, antwortete ich ihm. Anschließend konnte ich ihm die Beweggründe meines Verhaltens erklären und ihm ein klares Zeugnis von Jesus sagen. Er war gerade dabei, die Rechnung für die Frau zu schreiben. Da hielt er plötzlich inne und sagte: „Wenn Sie Ihren Dienst, wie Sie sagen, aus Liebe zu Jesus tun, dann kann ich der Frau auch keine Rechnung ausstellen." Und er zerriss die Rechnung vor meinen Augen.

Und Gott knüpfte weiter an. Kurze Zeit später hielt ein Lastkraftwagen vor unserem Haus, aus dem ein vornehmes Ehepaar ausstieg. Ein ungewohnter Anblick, gab es doch in diesem Ort fast nur arme Menschen. Der Mann war der Direktor eines Supermarktes in der zweiten Kreisstadt. Jener Arzt hatte ihn zu mir geschickt. Der Direktor bat mich, in Deutschland ein Medikament für sein krankes Kind zu besorgen, welches in Brasilien nicht erhältlich war. „Koste es was es wolle", fügte er noch hinzu. Das hatte mir, in einer von Armut geprägten Umgebung, auch noch niemand gesagt. Ich konnte ihm das teure Medikament besorgen. Aus diesem ersten „Knoten" ergaben sich viele weitere Möglichkeiten, die unserer Arbeit über mehrere Jahre zugute kamen.

Gott bleibt dran und verliert die Fäden nicht aus

der Hand. Das tat Gott auch bei Aginaldo. Nach einem Gottesdienst kam er nach vorne, um sein Leben Jesus anzuvertrauen. Nachdem der Gemeindeleiter, Aginaldo und ich zusammen gebetet hatten, sagte er: „Vor 17 Jahren bin ich unter Ihren Händen an diesem Ort geboren worden. Ich möchte gerne Missionar werden." Noch hatte er zwei Schuljahre zu absolvieren. Mein Herz war tief bewegt darüber, dass ich nicht nur die Geburt dieses Kindes, sondern auch seine Wiedergeburt miterleben durfte.

Aginaldo, 1980 in meiner Hand geboren.
1997 während meines Besuches zum Glauben gekommen,
nach dem Abitur Bibelschulausbildung, 2005 geheiratet.
Seine angenommene Tochter Camila hat bei meinem
letzten Besuch auch einen Glaubensanfang mit Jesus gemacht.

Damals hatte ich, wie bei jeder Geburt, mit der Mutter ein Dankgebet gesprochen und Mutter und Kind der Fürsorge Gottes anbefohlen und Gott gebeten, dass das Kind doch eines Tages auch zu einer persönlichen Beziehung mit ihm gelangen möge.

Darüber waren bei Aginaldo 17 Jahre vergangen, und nun durfte ich es ganz konkret miterleben. Nach seinem Schulabschluss löste Aginaldo sein Versprechen ein. Während dieser Zeit begegnete ich ihm bei einer meiner Besuchsreisen in Brasilien, als er tagsüber mit Gartenarbeit seinen Lebensunterhalt bestritt und am Abend die Bibelschule besuchte.

Als ich im Januar 2007 wieder in Brasilien war, besuchte er mich mit dankerfülltem Herzen und stellte mir seine Frau und sein erstes Kind vor. Er ist 27 Jahre alt und Co-Pastor in einer brasilianischen Gemeinde, wo er froh das Evangelium von Jesus Christus verkündigt.

Was mag wohl aus all den anderen Kindern geworden sein, die unter meiner Hand geboren worden sind? Bei meinen verschiedenen Besuchsreisen nach Brasilien bin ich vielen begegnet und konnte mich bei den meisten über ihre Entwicklung freuen, ganz besonders dann, wenn sie ihr Leben mit Jesus verbunden und einen Platz in der Gemeinde gefunden hatten.

Ilzinho

An den Namen der neugeborenen Kinder konnten wir immer erkennen, welche Geschichte zum Zeitpunkt ihrer Geburt gerade in der Sonntagsschule erzählt worden war. So hießen die Kinder Esther, David, Daniel, Debora, Ruth, Markus und so fort. Viele bekamen auch einen Doppelnamen, wie „Maria de Jesus“ oder „Joseph Luiz“ oder den Namen der Großeltern. Manchmal kam es sogar vor, dass die Nachbarn einfach einen Namen erfanden.

Als wir die Geschichte von Nebukadnezar erzählten, sagte eine Frau: „Jetzt weiß ich einen Namen für unser nächstes Kind, und einen Nebukadnezar haben wir auch noch nicht in unserer Familie.“

Die meisten Menschen in der Gegend hatten jedoch einen Spitznamen, der nichts mit dem eigentlichen Namen zu tun hatte. So gab es einen „Joseph, der Maler", der aber nie malen konnte, „Söhnchen", der mittlerweile selbst Vater von sechs Kindern war, aber von allen Leuten nur „Söhnchen" gerufen wurde. Oft wussten die Leute gar nicht, welcher Name auf ihrem Geburtsschein stand, sofern sie einen hatten. Es war mitunter für mich sehr schwer, eine richtige Karteikarte anzulegen, die ich zur Medikamentenkontrolle und für die Geburtsangaben benötigte. Oft wussten die Leute auch nicht genau, wie viele Kinder sie schon hatten. So bekam ich zum Beispiel einmal zu hören: sieben eigene, fünf großgezogene und dann sind noch welche irgendwo in der Welt. Was sollte ich da eintragen?

Nach einem Gottesdienst kam eine junge, verhärmte Frau zu mir und erzählte mir ihre Geschichte. Sie saß vor der Kirchentür aus Angst und Scham vor ihren Eltern, die sie in der Kirche vermutete. Sie gehörte zu den vom Elternhaus Weggelaufenen. Schluchzend sagte sie: Ich bin eine Weggelaufene vom Elternhaus. Ich bin jetzt schon 23 Jahre in der Irre, ich will zurück! Wie freuten sich die Eltern über diesen Entschluss!

Einmal erlebte ich etwas Besonderes. Ich hatte eine Frau entbunden. Es war ihr erstes Kind, ein Sohn. Nun sollte er einen Namen bekommen, und die Eltern bestanden darauf, dass ich ihm den Namen geben sollte, weil alles so gut verlaufen sei. Ich lehnte ab mit der Begründung, dass die Namensgebung ein Vorrecht der Eltern sei. Sie bestanden aber darauf, dass das Kind etwas von mir bekommen sollte. Wie sollte das zugehen?

Nach einigen Tagen kamen sie und sagten ganz

beglückt: „Jetzt haben wir's!", und zeigten mir den Geburtsschein, den sie gerade vom Standesamt bekommen hatten. Dort war als Name des Jungen „Ilzinho", zu deutsch „Ilschen", eingetragen. Solange er noch ein Baby war, fanden alle den Namen schön, aber er blieb ja kein Baby. Jahre später begegnete er mir als stattlicher junger Mann und stellte sich mir als Ilzinho vor. Und so läuft er nun bis heute durch die Welt.

Was nichts kostet, ist nichts wert

Nicht auf jeder Missionsstation hatte ich genügend Räumlichkeiten, um die kranken Menschen zu behandeln, aber dafür hatten viele in dem großen Wartezimmer unter freiem Himmel Platz. Viele mussten große Entfernungen zurücklegen, manche 30, 40 km und mehr. Wer nicht zu Pferd kommen konnte, musste sich eine Fahrgelegenheit mieten und diese dann teuer bezahlen. Oft war weit und breit kein Fahrzeug zu bekommen, und die armen Menschen mussten Wucherpreise zahlen.

Ein Mann, der für die Fahrt umgerechnet 50,- Euro hatte bezahlen müssen, war sehr verwundert, dass die Arzneirechnung so billig war. Er sagte zu mir: „Jetzt habe ich so viel Fahrgeld ausgegeben, und Ihre Medizin ist so billig, dann wird sie wohl auch nichts nützen. Machen Sie doch wenigstens noch eine Zauberei, ich will sie Ihnen gerne bezahlen." Es war und ist erschütternd, in welch tiefer Nacht und Unwissenheit die Menschen dahinleben – mit keiner anderen „Hilfe" als der Zauberei. Ich versuchte, dem Mann ganz klar den Weg des Heils zu zeigen, doch er ging enttäuscht davon.

Ein abgemagerter Esel unter einem „Feuerbaum".

Ein anderer Mann kam sehr erschöpft angeritten und wollte Medizin gegen Durchfall haben. Im Gespräch sagte er mir, dass er bereits bei einem guten Zauberer gewesen sei, der ihm ein Getränk zusam-mengemixt habe, das er schlückchenweise dreimal am Tag hätte einnehmen sollen. Weil er aber auf dem Feld arbeite und das Getränk so gut geschmeckt habe, hätte er es mit einem Mal ausgetrunken. Nun hatte er erst recht Durchfall bekommen und war so geschwächt, dass er kaum auf den Beinen stehen konnte. Gerne half ich ihm und legte eine Infusion an, die ihm sichtbar gut tat. Nach der abgeschlossenen Behandlung konnte ich ihm auch die nötigen Stärkungsmittel empfehlen, und er ritt am Nachmittag dankbar davon.

Immer wieder steht mir der 10-jährige Joao, zu deutsch Hans, vor Augen. Er zählte, wie viele, als Kind sehr armer Eltern zu den Elendsgestalten. Wenn man seine dünnen Arme und Beine ansah, konnte man eher meinen, sie gehörten einem 2-jährigen Kind. Hans hatte Keuchhusten und war durch das dauernde Erbrechen ganz elend geworden. Seit zehn Tagen hat er schon nichts mehr gegessen – der ganze

Mund war eine einzige Wundfläche – und zum Stehen hatte er schon lange keine Kraft mehr. Natürlich hatten seine Eltern auch die Hilfe von Zauberern gesucht, die dem Kind aber nicht hatten helfen können, und nun lag er vor mir.

Was soll ich tun? fragte ich betend den Herrn.

Da kam mir der Gedanke, ein Krankenzimmer unter freiem Himmel einzurichten. Einige Papiersäcke wurden herbeigeholt, die als Matratze unter einem schattigen Baum dienen sollten, weit weg von allen anderen Menschen, denn man musste ja auch an die Ansteckungsgefahr bei Keuchhusten denken. Schnell wurde ein Nagel in den Baum geschlagen und schon hing die Flasche mit der Infusionslösung daran, die dem kleinen Mann über Stunden in die Vene tropfen sollte. Mutter, Vater und Tante waren dageblieben – jeder mit einer Aufgabe versehen. Einer musste den schattenspendenden Schirm halten, ein anderer die Fliegen und Moskitos vertreiben, und dann musste Hans auch ab und zu einen Schluck zu trinken bekommen. So blieb der Junge in meiner Nähe, ich konnte ihn gut beobachten und trotzdem meinen Dienst verrichten.

Am Nachmittag, als die Freiluftbehandlung vorüber war, wurde der Bub auf einem Pferdewagen nach Hause transportiert, mit dem Hinweis, nach drei Tagen wiederzukommen. Da wurde dieselbe Prozedur noch einmal wiederholt. Die erste Behandlung hatte bereits angefangen zu wirken: Hans hatte Hunger bekommen. Die Eltern fragten erstaunt: „Was haben Sie nur mit unserem Jungen gemacht? Er hat ja wieder Hunger. Wir wissen nicht, wie wir ihn satt bekommen sollen. Tag und Nacht verlangt er nach Essen." Das hörte ich gerne und freute mich, mit Essen, Stärkungsmitteln und Vitaminpräparaten Hans weiterhin helfen zu können. Nach monatelanger Krankheit konnte er wieder die ersten Schritte tun – dem Herrn sei Lob und Dank! Es bleibt dabei: Gott ist ein Meister im Helfen.

So, das war's für heute!

Es war, wie so oft, spät am Abend. Das Behandlungszimmer war aufgeräumt, die Spritzen sterilisiert, und die Geburtstasche stand wie immer griffbereit. Man konnte ja nie wissen.

So, das war's für heute! dachte ich und wollte mich eben zur Ruhe begeben, als ich draußen das Geräusch eines Lastkraftwagens vernahm. Schon stand der Fahrer vor mir und bat mich, schnell zu seiner Frau zu kommen. Sie stehe vor der Geburt des 13. Kindes. Die Waldhebamme, eine Zauberin, habe ihr eine hohe Dosis Rizinus verabreicht und gesagt, das Kind komme erst in vier Wochen beim nächsten Vollmond zur Welt. Dann sei sie einfach gegangen, doch seine Frau krümme sich vor Schmerzen und könne es nicht mehr aushalten.

Mit Sack und Pack stieg ich schnell in den Lastwagen, und ab ging die Fahrt in eine mir unbekannte Gegend. Auf dem letzten Stück mussten wir noch zu Fuß eine Anhöhe erklimmen. Der Mann ging voraus, um die etwaigen Schlangen zu beseitigen, die sich nachts oft auf die warmen Waldwege legten. Es war stockfinster, und ohne Taschenlampe hätte ich keinen Schritt machen können. Endlich kamen wir in die Nähe der Hütte. Schon von weitem hörten wir die Frau stöhnen. Sie lag in einem kleinen dürftigen Raum auf einer Pritsche, ein kleines Kerzenstummelchen war die ganze Beleuchtung des Raumes. Ich dachte: *Wenn das bloß nicht herunterbrennt, bevor die Geburt überstanden ist.* Die ganze Hütte bestand nur aus zwei Räumen: In dem einen lag die Mutter, in dem anderen die 12 Kinder – wie die Heringe dicht nebeneinander. Da gesellte sich dann der Vater auch noch hinzu!

Wie war ich froh und dankbar, dass das Kind nicht lange auf sich warten ließ. Nach einer guten halben Stunde konnten alle das laute Schreien des Neugeborenen vernehmen. Doch wo war die Säuglingswäsche für das Kind? Die Mutter zeigte auf die Ritzen und Löcher in der Holzwand. War das der Kleiderschrank? Ich zog mir eine Windel, ein Hemdchen und ein Mützchen heraus. Welch eine Armut!

Seit diesem Erlebnis hatte ich immer, wenn ich zu einer Geburt gerufen wurde, ausreichend Säuglingswäsche, Streichhölzer, Kerzen, Batterien für die Taschenlampe und dergleichen dabei. Ich konnte Gott nur danken, wenn dann bei aller Primitivität und mangelnder Sterilität keine Infektionen auftraten.

Was ist eine Diakonisse?

„Was ist eine Diakonisse?“, wurde ich einmal im Urlaub von einer Frau gefragt, die sich offenbar für ein längeres Gespräch Zeit genommen hatte.

„Schwester, Sie strahlen etwas aus, was ich nicht erklären kann. Ich bin Atheist, bin nie in eine Kirche gegangen und habe mit dem Glauben nichts zu tun, aber die täglichen Begegnungen mit Ihnen (wir wohnten im selben Gästehaus) haben viele Fragen in mir ausgelöst.“

Ich habe ihr gerne Einblick in mein Leben gewährt. Sie sollte wissen, dass ich nicht als Diakonisse geboren worden war, sondern wie jeder andere Mensch die Freiheit hatte, mein Leben zu gestalten und Entscheidungen zu treffen. Durch das Lesen in der Bibel wurde mein Leben schon früh geprägt, so dass ich mit 16 Jahren mein Leben der Führung Jesu unterstellte. Zu diesem Zeitpunkt kannte ich zwar Diakonissen, hielt es aber nie für möglich, dass ich eines Tages auch eine sein würde. Ich hatte andere Pläne.

Schließlich benutzte Gott einen Bombenhagel, meine Pläne zu durchkreuzen. Aus Dank für die erfahrene Errettung stellte ich ihm mein ganzes Leben für seinen Dienst zur Verfügung. Das alles geschah nicht ohne Herzenskampf, und meine Entscheidung fiel mir nicht immer leicht. Es war für mich vielmehr ein lebendiges Opfer, die Ehe und das Mutterglück auf den Altar Gottes zu legen und dabei ist es geblieben, nun schon über 60 Jahre!

Nicht immer war es ein Wandern auf sonnigen Höhen, die tiefen Täler und dunklen Stunden haben auch nicht gefehlt. Lebenskrisen machen auch vor einer Diakonisse nicht Halt. Dennoch möchte ich sie nicht missen, denn sie haben mich Durchhaltevermögen und Standfestigkeit gelehrt. Sie sind zu Knotenpunkten geworden, die mein Glaubenswachstum verdichtet haben und mich immer wieder zum Ausgangspunkt, der ganzen Hingabe an Jesus, zurückgeführt haben.

„Ich bin eine frohe Diakonisse und habe es nie bereut, diese Entscheidung getroffen zu haben. Sie fragen mich nach dem Geheimnis, nach dem bestimmten Etwas, das meinem Leben Impulse gibt. Es ist ganz einfach die Liebe zu Jesus Christus und die Dankbarkeit ihm gegenüber, der sein Leben als

Opfer zur Erlösung für mich gegeben hat. Ist Ihre Frage, was eine Diakonisse ist, damit beantwortet?", fragte ich die Frau.

„Ja", sagte sie und bedankte sich mit Tränen in den Augen.

Wenn Ostern nicht nach Ostern aussieht

Ein erschütterndes Ostererlebnis auf dem Missionsfeld werde ich wohl nie vergessen. Es steht noch so gravierend vor meinen Augen und hat so tiefe Spuren in mein Herz gegraben, als hätte ich alles erst gestern erlebt. Vor allen Dingen erinnert es mich immer wieder an Gottes Wort aus dem 118. Psalm: *„Die Rechte des Herrn behält den Sieg."*

Unsere Missionsstation lag weit im Inneren des Landes. Ich stand in einer Gemeindeaufbauarbeit. Neben dem Dienst in der Gemeinde war ich auch verantwortlich für die Krankenpflege, Geburten und was sonst noch anfiel.

Es war Karfreitag. Nach dem Gottesdienst sprach mich eine Mutter an, die mit ihrer 18-jährigen Tochter seit einiger Zeit zu uns kam. Sie waren von der Verkündigung gepackt und wollten mehr von Jesus wissen. Da sie aber einen 9 km langen Heimweg durch den Dschungel hatten und ich noch einige Menschen behandeln musste, vereinbarten wir einen Gesprächstermin nach dem Ostergottesdienst. Da fiel uns die 18-jährige Tochter, sie hieß Vanir, ins Wort: „Ach Mutter, zu Ostern wollte doch der Onkel zu uns kommen, den wir schon so lange nicht mehr gesehen haben." *Schade*, dachte ich, *wann wird sich wohl die nächste Gelegenheit bieten*?

Einen Tag später, am Karsamstag, kam ein Mann angeritten und wollte Medizin gegen Halsschmerzen haben und zwar für Vanir. Er wollte sich gerade wieder auf sein Pferd schwingen, als er beim Verabschieden sagte, dass Vanir von einer Klapperschlange gebissen worden sei, aber dafür habe man ihr bereits Serum gespritzt. „Jetzt verlangt sie nur nach Ihnen und will vor allen Dingen Medizin gegen Halsschmerzen haben." Was sollte ich tun? *Am liebsten gleich hin zu ihr*. Doch die Nacht stand bevor, und am nächsten Tag, also Ostern, hatte ich zwei Gottesdienste zu halten. Ich konnte also erst nach dem zweiten Gottesdienst aufbrechen, was ich dann auch tat.

Mit dem Geländewagen konnte ich nur etwa 7 km fahren. Dann musste ich ihn stehen lassen und zu Fuß einen Trampelpfad entlang gehen. Da kam mir eine Gruppe von Menschen entgegen. Sie fragten mich: „Wollen Sie zu Vanir?"

„Ja."

„Die ist schon seit heute Mittag tot."

Was? Ist das möglich? Ich fühlte mich wie vom Blitz getroffen und konnte mich nur schleppend vorwärtsbewegen. Da hörte ich auch schon die Klageweiber mit ihren schrillen, durchdringenden Stimmen: „Vanir ist tot! Vanir ist tot!" Ich musste noch einen Hügel erklimmen. Obwohl ich nur eine Hütte erspähen konnte, waren unzählige Menschen da, die alle laut oder leise schluchzten und sich immer wieder über das tote Mädchen warfen und es küssten. Vanir war auf der Haustür in einem kleinen Raum aufgebahrt. Da ihre Familie arm war und keinen entsprechenden Tisch besaß, hatten sie die Haustür ausgehängt. Vanir war ein großes, hübsches, kräftiges Mädchen. Die leidgeprüfte Mutter fiel mir um den Hals und weinte bitterlich – und ich mit ihr.

Lange konnte ich kein Wort sagen. Es war Ostern! Hatte ich nicht in beiden Gottesdiensten verkündet, dass Jesus lebt und dass er mit seiner Auferstehung den Tod überwunden hat und wir die Kraft seines Sieges jeden Tag erfahren können? – Und nun war ich hautnah mit dem Tod konfrontiert worden. Ich spürte, dass auch ich gerade jetzt den Trost des lebendigen Gottes brauchte. Da kam mir das Wort aus dem 118. Psalm in den Sinn. Es wurde mir zur entscheidenden Hilfe. Dort heißt es im 15. Vers: *„Die Rechte des Herrn behält den Sieg“*, zweimal hintereinander. Auch dann, wenn es um mich herum und in mir nicht nach Sieg aussieht: *Die Rechte des Herrn behält den Sieg.*

So konnte ich Vanir und die leidgeprüfte Familie der Barmherzigkeit Gottes anbefehlen und trat schweren Herzens den Heimweg an. Einige Trauergäste begleiteten mich noch ein Stück und zeigten mir die Stelle, an der das Unglück geschehen war, nämlich auf dem Trampelpfad, den auch ich zurückgelegt hatte. Der Onkel war, wie vorgesehen, zum Osterbesuch gekommen. Alle Angehörigen hatten noch einen Spaziergang gemacht. Vanir war als Letzte mit einem Kind auf dem Arm den Trampelpfad entlang gegangen und muss mit dem Fuß an die Schlange gestoßen sein, die auf dem Weg lag und die keiner bemerkt hatte. Da war es geschehen. Sie wurde in die Ferse gebissen und konnte nur noch laut aufschreien. Darüber waren keine 24 Stunden vergangen. Nun war sie schon nicht mehr unter den Lebenden.

Wenige Monate später hatte ich Gelegenheit, mit dem Professor des Schlangeninstitutes „Butantan” in

Sao Paulo zu sprechen. Ich wurde immer noch von Selbstvorwürfen umgetrieben: Was habe ich versäumt? Bin ich zu spät gekommen? Was hätte ich tun müssen? Der Professor erklärte mir, dass der Biss einer Klapperschlange fast immer tödlich sei, besonders ein Biss in die Ferse wie bei Vanir. Das Gift werde in der Lymphbahn zum Gehirn transportiert und löse von dort Lähmungen im ganzen Körper aus, die in wenigen Stunden zum Herzstillstand führten. Daher die Halsschmerzen und Schluckbeschwerden bei Vanir. Hilfe wäre nur möglich gewesen, wenn man sofort einen Tropf mit einer hohen Dosis eines spezifischen Schlangenserums verabreicht hätte. Doch weil das in den meisten Fällen nicht möglich sei, bestehe kaum eine Überlebenschance.

Wir leben in Deutschland. Da gibt es zum Glück keine Klapperschlangen. Aber kommen wir nicht auch im zivilisierten Deutschland in Situationen, wo es um uns herum nicht nach Sieg aussieht, wo alles drunter und drüber geht, wo wir keinen Durchblick mehr haben und nicht wissen, wie alles ausgeht? Und oft herrscht das Durcheinander auch in uns, und wir sehen keinen Sieg. Aber es bleibt bestehen: *Die Rechte des Herrn behält den Sieg.*

Es gibt viele Dinge in unserem Leben, die wir nicht ergründen können, aber wir dürfen uns im Vertrauen üben und gewiss sein, dass Gott zu seinem Wort steht und keine Fehler macht und alles gebrauchen kann, um uns näher zu sich zu ziehen. So sind auch die Mutter von Vanir und ihre Geschwister einige Jahre später zum lebendigen Glauben an Jesus Christus gekommen.

Auf allen meinen Missionsstationen hat es geraume Zeit gedauert, bis die Menschen ihr Misstrauen aufgaben und erste Vertrauensbande entstanden. Die meisten Menschen gingen bei Krankheiten nach wie vor zuerst zu Zauberern und Medizinmännern, die es überall und bis in die entferntesten Winkel gab. Für viele war es verblüffend und etwas vollkommen Neues, dass ich sie ohne Zauberformeln behandelte. Trotzdem brauchte ich mir auf keiner Missionsstation Sorgen um zu wenige Patienten zu machen – dafür sorgten schon die dankbaren Mütter und die geheilten Patienten.

Ich wusste mich an jeden meiner „Arbeitsplätze" von Gott gestellt und erfuhr seine unwandelbare Treue in tausendfacher Art und Weise. Viele treue Beter in Deutschland brachten meinen Namen täglich vor den Herrn. Insbesondere in den Stunden der Einsamkeit und Ausweglosigkeit war es mir ein großer Trost, mich so umbetet zu wissen. Immer wieder erfuhr ich Gottes Eingreifen in außergewöhnlichen Situationen und dass er auch außergewöhnliche Gnade und Weisheit für solche Momente schenkt.

Das erlebte ich auch, als mich zwei Kinder kurz vor Mitternacht zu ihrer Mutter riefen, die Zwillinge zur Welt bringen sollte. Das erste Kind war bereits von einer Zauberin geholt worden, aber das zweite lag quer und konnte deshalb nicht geboren werden. Hinzu kam, dass die Zauberin der Mutter kurz vor meinem Kommen noch eine hohe Dosis wehenanregender Mittel verabreicht hatte. Damals konnte diese Medizin noch ohne Rezept in den Apotheken gekauft werden. Schon von weitem hörte ich die Frau laut schreien. Sie lag auf einem Drahtgestell in einem dunklen Raum, ein kleiner Kerzenstummel am Ende des Bettes gab einen spärlichen Lichtschein. Mit Entsetzen bemerkte ich, dass ich in einer Blutlache stand. Die Zauberin hatte die Nabelschnur des ersten Kindes nicht abgebunden, und das zweite Kind lag bereits tot im Mutterleib. Der Kerzenstummel fiel auf den Boden, und Streichhölzer gab es nicht in der Hütte. Während mich unzählige Flöhe ansprangen, widmete ich mich im Schein meiner Taschenlampe mit aller Konzentration der blutenden Frau. Sie schaute mich angsterfüllt an und fragte mich, ob sie nun sterben müsse. „Ich habe keine Kraft mehr", sagte sie. Ich flehte Gott um Hilfe an und bat ihn um Weisheit. Eigentlich hätte die Frau sofort auf den Operationstisch gemusst, doch dieser stand 100 km entfernt in der Stadt! Sie war dem Verbluten nah und keinesfalls transportfähig. Die innere Zerreißprobe in meinem Herzen war groß. Würde sie wirklich unter meinen Händen sterben?

Nein, das konnte nicht sein! Ich betete mit ihr und entfernte im festen Vertrauen auf Gott und mit seiner Hilfe das querliegende Kind aus dem Uterus. Nie zuvor hatte ich mich an eine solch riskante Aufgabe herangewagt, aber um der armen Frau das Leben zu retten, war dies das Gebot der Stunde, in die mich Gott geführt hatte.

Und tatsächlich: Ich durfte erleben, dass alles gut verlief und mit der Lösung der Nachgeburt auch die Blutung aufhörte. Ich konnte ihr schnell einen Tropf mit Blutersatzlösung und einen mit Kochsalzlösung und die entsprechenden Medikamente zuführen.

Wo aber war das erste Kind geblieben?

Es lag ganz still in einer Ecke des dunklen Raumes, von Flöhen umgeben und eingewickelt in eine alte, zerrissene Jacke des Vaters, die Nabelschnur mit einem übriggebliebenen Band vom letzten Schweineschlachten abgebunden – ein Anblick zum Erbarmen. Gut, dass ich immer steriles Material bei mir hatte. In der frischen Säuglingswäsche sah es dann wirklich wie ein Neugeborenes aus. Was für ein Geschenk und Wunder Gottes, dass es trotz Ungeziefer und Schmutz nicht an einer Infektion gestorben ist.

Nach einiger Zeit kam auch die Mutter wieder zu Kräften. Welche Freude und welch ein Dank erfüllte mich jedes Mal, wenn ich sie später unter den Gottesdienstbesuchern ihren Glauben an Jesus bezeugen sah.

Das eingelöste Versprechen

In Brasilien gibt es ein Sprichwort, das besagt: Versprechen ist Schuld. Daran halten sich viele Brasilianer und sie erwähnen es auch oft.

Auf einer meiner Missionsstationen sollte eine neue Kirche errichtet werden, diesmal eine aus Backstein. Die alte Holzkirche war mittlerweile sehr baufällig geworden, und man musste Angst haben, dass sie eines Tages über uns zusammenbrechen würde.

Auch während der Bauphase kamen weiterhin Tag für Tag viele Menschen zur Behandlung zu uns. Unter meinen Patienten waren aber nicht nur sehr arme Menschen, manchmal war auch jemand auf der Durchreise und wurde bei uns im Ort plötzlich krank.

So kam es, dass der Bruder unseres damaligen Bürgermeisters, der in einer anderen Stadt wohnte, auch ab und zu bei mir im Ambulatorium erschien, um

Medizin für eines seiner Kinder oder seine Frau zu holen. Er hatte genügend Geld, um seine Medizin zu bezahlen.

Wir kamen ins Gespräch, und er wollte wissen, wer die neue Kirche bezahlen würde. Er wusste von seinem Bruder, dass es hier sehr viele arme Menschen gab, und er versprach, uns bei der Finanzierung zu unterstützen.

Es vergingen mehrere Monate. Er war inzwischen schon einige Male wieder da gewesen und hatte seine Medizin immer gut und nach oben aufgerundet bezahlt. Ich musste, an sein Versprechen denken, bei der Bezahlung des Kirchenbaus mitzuhelfen. *Sicher soll die jeweils aufgerundete Summe bei der Bezahlung der Medizin seine Mithilfe bekunden*, so dachte ich bei mir. Immer wieder kam er zum Ambulatorium, äußerte sich positiv über die lobenswerte Behandlung und die gute Medizin, kaufte seine Medikamente und fuhr wieder nach Hause.

Es vergingen Monate, bis er eines Tages wieder vor mir stand. Diesmal brauchte er keine Medikamente. Er griff in seine Hosentaschen und holte ein zusammengebündeltes Päckchen Geld heraus, erst aus der einen, dann aus der anderen Hosentasche. Er gab es mir mit der Begründung: „Heute komme ich, um mein Versprechen einzulösen. Ich habe meinen Wagen gut verkaufen können, und das Geld sollen Sie für den Bau der Kirche bekommen." Dann ging er schnellen Schrittes fort.

Ich war tief bewegt und beschämt und habe mich bedankt. Solch eine Summe brasilianisches Geld hatte ich bis dahin noch nie in meinen Händen gehalten. Es waren alles neue Scheine, und es war eine hohe Summe. Zu jener Zeit war die Inflation extrem, und wir hatten erst seit wenigen Tagen eine neue Währung. Und gerade so etwas durfte ich auf einer unserer ärmsten Stationen erleben! (In Brasilien wird das Geld gebündelt, nicht gerollt, da es auch für kleine Summen Scheine gibt.)

Praktizierte Dankbarkeit

Auf jeder Station sprach es sich schnell herum, dass man bei der Schwester Medizin „für alle Krankheiten" bekam. Oft wussten die Leute gar nicht den Namen der Medizin, sondern lediglich die Farbe der Flasche oder der Tabletten oder dass die Medizin ganz bitter oder süß gewesen war. Ohne die staatliche Lizenz, ein Ambulatorium zu führen und die gute Zusammenarbeit mit den Ärzten wäre eine Behandlung oft gar nicht möglich gewesen.

Manches Mal hätte ich gern gewusst, ob und wie die letztlich verabreichte Medizin gewirkt hatte. Meistens kamen die Leute von weit her, und ich sah sie einmal und dann nie wieder.

Einmal wollten zwei Männer eine Tablette gegen Zahnschmerzen für die Frau des einen haben. Hierfür waren sie 25 km mit dem Pferd geritten. In Anbetracht der Entfernung gab ich ihnen zwei Tabletten mit und wünschte der Frau gute Besserung. Wochen vergingen, ohne dass ich noch einmal etwas von ihrem Schicksal erfahren hatte.

Einige Zeit später hatte ich eine Schwester bei mir, die ihr Praktikum auf einer Missionsstation machen sollte. Wir hatten eine Fahrt zu einer Familie im Wald geplant, die seit einiger Zeit zum Gottesdienst in den Nachbarort kam. Begleitet von einem einheimischen Jungen machten wir uns eines Tages auf den Weg.

Nach über 20 km auf der holprigen Erdstraße begann unser geländegängiger Wagen plötzlich zu mucken. Trotz Allradantrieb steckten wir in einer gerölligen Talmulde fest, umgeben von Wasser und Steinen, und kamen weder vor noch zurück.

Plötzlich bemerkte ich zwei Männer mit Hacke und Spaten an der Seite des Wagens. Ich war zunächst erschrocken, weil ich weit und breit keine Hütte erspähen konnte. Als ich die Männer, die anscheinend Brüder waren, schließlich ansprach, sagten sie fast erstaunt. „Aber Schwester, kennen Sie uns denn nicht mehr? Wir haben doch vor einigen Wochen zwei Zahnschmerztabletten bei Ihnen geholt." Ja wirklich, jetzt konnte ich mich entsinnen. „Und? Haben die Tabletten geholfen?", war meine Frage. „Und ob", entgegnete der eine „meine Frau hat sogar ihr Kind noch ohne Schmerzen bekommen!"

Das war die erste schmerzfreie Geburt, die durch meinen Einfluss geschah, und ich war noch nicht einmal selbst dabei gewesen!

Die Männer meinten, es sei eine heilige Medizin gewesen, und nun wollten sie ihre Dankbarkeit bekunden.

„Wir haben nämlich das Schnarchen des Geländewagens gehört und gedacht, das kann nur die Schwester sein." Was für ein Erlebnis. Die einsamen Waldwege wurden damals meist nur von Pferdewagen befahren, Geländewagen sah man selten in dieser Gegend, aber viele Menschen wussten, dass ich einen hatte.

Trotz allem Kraftaufwand gelang es uns jedoch nicht, den Wagen von der Stelle zu bewegen.

Inzwischen wurde es dunkel, und ein Gewitter braute sich am Himmel zusammen. Ein paar Sterne kamen vereinzelt hervor, aber sonst war es bald stockdunkle Nacht. Wie selbstverständlich boten uns die Männer eine Übernachtung in der Hütte ihrer Mutter an. Mit viel Liebe und ohne große Worte stellte sie uns eine Schüssel mit Wasser zum Waschen für die Füße hin. Dabei mussten wir den kleinen Baumstamm, auf dem wir saßen, immer wieder verschieben, weil der Regen durch das Blätterdach tropfte. Währenddessen bereitete sie uns ein Nachtessen vor und stellte uns sogar ihr Bett zum Schlafen zur Verfügung.

Doch trotz aller liebevoller Fürsorge war an Schlaf nicht zu denken. Dafür sorgten die Hühner, Katzen, Hunde und Schweine sowie unzählige Flöhe, die es anscheinend besonders auf deutsches Blut abgesehen hatten. Aber wir hatten ein Lager und waren vor dem heftigen Unwetter geschützt, das sich über unseren Köpfen entlud.

Am nächsten Morgen bewirtete uns die Mutter erneut. Wie sollten wir ihr nur danken? Später besuchten wir sie und die Männer noch einmal und bedachten sie mit Liebesgaben und konnten ihnen von Gott erzählen.

Wir machten uns auf den Weg zu unserem Wagen, der – frischgewaschen vom Regen – noch immer auf demselben Fleck stand. Die hilfsbereiten Männer waren auch wieder zur Stelle. Doch wie sollte es jetzt weitergehen? Es war Samstag, und am nächsten Tag hatte ich zwei Gottesdienste zu halten. Während wir immer noch betend überlegten, hörten wir aus weiter Ferne das Geräusch eines Traktors. Es wurde immer lauter, und schließlich stand der Traktor vor uns. Auf meine Anfrage, ob er unseren Wagen wohl aus der Mulde ziehen könne, sagte der Fahrer: „Jetzt weiß ich, warum ich mich verfahren musste. Ich habe mich nämlich in der Richtung geirrt und wollte gar nicht hier entlang kommen." Er wartete noch, bis der Wagen auf ebener Straße wieder ansprang, und für uns war es eine neue Gelegenheit, Dankbarkeit zu praktizieren – hatten wir doch so viel Güte und Barmherzigkeit von Gott und Menschen erfahren.

Du sollst nicht töten

So lautete der Titel eines brasilianischen Evangeliumsblattes, das vor einiger Zeit in unserem Schriftenverlag in Curitiba erschienen war. Ich bezog jeden Monat über 200 Verteilblätter für meinen Dienst, und so kam auch dieses Blatt zu mir. Nicht immer erhielt ich ein Echo über den Inhalt der Blätter, die ich meinen Patienten mitgab, aber mit diesem Blatt erlebte ich etwas ganz Besonderes.

Ich hatte eine schwerkranke Frau am Dauertropf liegen. Als es ihr nach ein paar Stunden zusehends besser ging, gab ich ihr einige Evangeliumsblätter zum Lesen. Sie gehörte nicht zu den Allerärmsten und zählte zu den wenigen Menschen im Landesinneren, die lesen konnten. Sie legte still ein Blatt nach dem andern beiseite, aber jenes hielt sie lange nachdenklich in der Hand. War es der zertrümmerte VW auf der Titelseite oder die packende Überschrift „Du sollst nicht töten!", die die Frau zum Nachdenken brachte, oder hatte ihr die Botschaft etwas zu sagen? Schließlich unterbrach sie die Stille, und wir führten ein lebhaftes Gespräch über den Inhalt des Blattes. Da standen auf der Innenseite beispielsweise die „Tagebuchaufzeichnungen eines ungeborenen Kindes". Spannend konnte man die Gedanken und Empfindungen eines Embryo in den ersten zwei

Monaten Zeile für Zeile nachlesen, fast so, als seien sie von ihm persönlich festgehalten worden. Jede Notiz spiegelte die unbeschreibliche Freude auf den Tag der Geburt wider, an dem das bisher verborgene Leben sichtbar werden sollte, doch plötzlich rissen die Tagebuchaufzeichnungen mit dem furchtbaren und erschreckenden Satz: „Heute hat mich meine Mutter umgebracht!", ab. Meine Patientin war erschüttert. Sie wusste von mehreren Müttern aus ihrer Nachbarschaft, die diese Sünde leichtfertig begangen hatten, doch auch sie hatte eine Abtreibung bisher nicht als Mord angesehen. Sich selbst sah sie jedoch nicht mehr in der Gefahr für eine solche Tat, da sie schon 42 Jahre alt war. Sie bat mich jedoch, das Blatt zum Weitergeben mitnehmen zu dürfen.

Es vergingen mehrere Monate. Eines Tages stand sie wieder vor mir, diesmal aber nicht als Kranke, sondern als eine Hilfesuchende. Das Unbegreifliche war geschehen: Sie war noch einmal schwanger geworden. Immer wieder musste sie an das bewusste Blatt denken. Auf einmal galt die Botschaft nicht den anderen, sondern ihr persönlich: *Du sollst nicht töten.* Sie kam sich vor wie in einem Labyrinth. Unzählige Stimmen stürmten auf sie ein – bald aus der Nachbarschaft und Verwandtschaft, dann wieder aus dem eigenen Herzen. *Du wirst doch nicht jetzt im Alter noch einmal anfangen wollen! Was werden denn deine erwachsenen Kinder sagen? Du hast doch schon sechs Jungen, das ist doch wirklich mehr als genug, und gesundheitlich bist du auch anschlagen. Man sagt doch, in den ersten Monaten der Schwangerschaft ist eine Abtreibung erlaubt. Außerdem, kein Mensch weiß, wie es zugegangen ist. Du kannst ja auch gefallen sein.* Mitten in diesem Wirrwarr von Stimmen war aber noch eine andere Stimme – laut, deutlich und unüberhörbar: *Du sollst nicht töten!*

Das sagte Gott, der Schöpfer allen Lebens, dem wir einmal Rechenschaft geben müssen – auch über das uns anvertraute Leben.

Das Wissen um die Kostbarkeit ungeborenen Lebens in Gottes Augen war mir Anlass genug, ihr Mut zu machen, für sie zu beten und mit ihr zu glauben und dem Herrn zu vertrauen, dass er gerade dieses Kind zu einem Segenskind für die ganze Familie werden lassen wollte. Ich sagte ihr: „Vielleicht ist es ja ein Mädchen? Wenn Sie dann sechzig sind, dann ist das Mädchen zwanzig und wird Ihnen tatkräftig zur Seite stehen." „Ach Schwester, in meiner Familie gibt es nur Jungen, das kann ich nicht glauben." „Aber ich helfe Ihnen zu glauben, dass Gott es in jedem Fall richtig machen möchte."

In den nun folgenden Monaten bis zur Geburt des Kindes stand das Leben von Mutter und Kind mehr als einmal auf dem Spiel. Es ging buchstäblich von einer Glaubensprobe in die nächste.

„Aber es lohnt sich, dem lebendigen Gott zu vertrauen" – das war das Zeugnis dieser dankbaren und überglücklichen Mutter, die nun zu ihren sechs Jungen wirklich ein gesundes und kräftiges Mädchen von Gott geschenkt bekam. Der Vater war außer sich vor Freude. Gott hatte durch alles Erleben auch zu seinem Herzen geredet, und er wollte mehr wissen von dem Gott, der auf so wunderbare Weise Gebete hörte und erhörte, so dass er sich nach der Geburt seiner Tochter eine Bibel kaufte. Die teuerste wollte er haben. Die Brüder hätten sich vor Stolz und Freude über ihre kleine Schwester am liebsten eine ganze Woche schulfrei gegeben. So konnten wir nun gemeinsam aus tiefstem Herzen Gott danken und ihm

das durch viele Gefahren hindurch gerettete Leben in die Hände legen. Nach der Geburt hatten sich aber auch die Nachbarn und guten Bekannten wieder eingestellt, die der Mutter in den ersten Schwangerschaftsmonaten am liebsten geholfen hätten, das keimende Leben zu töten. Jetzt kamen sie, um das kleine Mädchen zu bewundern und ihm einen Namen zu geben. Doch die Eltern wollten ihrem Töchterchen einen Namen geben, der sie immer wieder an die Treue Gottes erinnern sollte. Sie wurde Christiane genannt und bleibt die Frucht eines ernst genommenen Evangeliumsblattes.

Auch Zauberer brauchen Jesus

Zu meinen Patienten gehörten auch Zauberer. Ich hatte keine Angst vor ihnen, denn ich wusste, dass ich unter dem Schutz des Blutes Jesu stand und dass Gott mir diese Zauberer geschickt hatte, damit ich ihnen half.

Da war D. Antonia, eine Zauberin, die auch Hebammendienste verrichtete und die mit allen Mitteln versucht hatte, mir zu schaden. Sie hatte immer wieder einen Fluch über meinem Leben ausgesprochen und hatte auf diese Weise meinen Dienst unmöglich machen wollen. Sie hatte die Frauen vor mir gewarnt und Lügengeschichten verbreitet. Was sollte ich tun? Ich betete für sie uns unternahm nichts gegen sie, obwohl Grund genug vorhanden war. Die Frauen, die ich entbunden hatte, waren selbst die beste Propaganda für meinen Dienst. Eines Tages wurde D. Antonia krank, und keines ihrer Zaubermittel schien mehr zu helfen. Da stand sie als eine

Hilfesuchende vor mir. Sie war so elend, dass ich sie nur noch an den Tropf legen konnte. Während die Infusionslösung langsam in die Vene tropfte, kam ich mit ihr in ein Gespräch. Ich hatte sie mit der Liebe Gottes konfrontiert und konnte auch mit ihr beten. Nachdem sie einige Stunden in meinem Behandlungszimmer gelegen hatte, ging es ihr zusehends besser. Sie bekam noch ein Stärkungsmittel und ein schönes, großes Handtuch mit auf den Weg, das sie sich gleich um den Kopf legte, denn es sah nach Regen aus. Doch der Regen verzog sich schnell wieder. Von der Zeit an war sie mir gegenüber wie verwandelt.

Eine Frau hatte sich zur Geburt ihres Kindes angemeldet. Ich war erstaunt. Es war nicht ihr erstes Kind. Ich wusste, dass ihre Schwiegermutter, auch eine namhafte Zauberin, ihre anderen Kinder geholt hatte. Wer hatte sie wohl zu mir geschickt? Nun, ich sollte es bald erfahren.

Das Kindlein wurde geboren. Es war eine normale Geburt. Doch kurz darauf fiel die Mutter in Ohnmacht. Der Blutdruck sackte ab, und eine massive Blutung setzte ein. Schnell legte ich eine Infusion mit Kochsalzlösung und eine Blutersatzlösung an und in meinem Herzen schrie ich zu Gott, dass er sich dieser armen Frau annehmen und der Herr Jesus seine Siegesmacht beweisen möchte, denn ich hatte die dicke Finsternis wohl zu spüren bekommen. In solchen Situationen konnte ich oft nur der finsteren Macht im Namen Jesu gebieten und mich selbst im Glauben unter die Deckung des Blutes Jesu stellen. Ich durfte erleben, dass Jesus die Macht der Finsternis brach und Mutter und Kind das Leben erhielt. Es waren wohl noch bange Augenblicke, bis die Frau wieder ansprechbar war. Das erste, was sie sagte, war:

„Lebt mein Kind?“ Ja, es lebte. Sie fügte hinzu: „So, dann muss ich jetzt sterben!“, und schon hatte sie die Augen wieder geschlossen. Der Blutdruck hatte sich allmählich normalisiert, die Blutung konnte gestillt werden und dann erzählte sie mir „ihre Geschichte“:

Der Vater des neugeborenen Kindes war ihr jüngerer Schwager. Das sollte die Schwiegermutter nicht wissen. Darum wollte sie auch nicht von ihr entbunden werden. Sie war von einem Zauberer zum anderen gegangen, um sich eine Prognose zu verschaffen. Der Erste sagte, dass das Kind bei der Geburt sterben würde, der Zweite, dass sie und das Kind sterben würden und der Dritte sagte, dass sie auf jeden Fall sterben würde. Da hatte sie beschlossen, ihr Kind bei mir zu bekommen, „denn“, so fügte sie hinzu, „bei Ihnen ist noch nie eine Frau gestorben.“ So war sie, wie viele andere, als eine Betrogene des Teufels zu mir gekommen. Nicht immer konnte ich hinter die Kulissen schauen, doch vieles wurde oft im Nachhinein offenbar, und manches Warum fand seine Erklärung.

Nachdem die Frau wieder zu Kräften gekommen war, sprach ich mit ihr für Gottes wunderbares Eingreifen und Jesu Siegesmacht ein Dankgebet und befahl sie weiter der Gnade Gottes an. Sie sollte wissen, dass nicht ich ihr und ihrem Kind das Leben gerettet hatte, sondern der lebendige Gott, dem ich gehöre und diene. Sie kam dann einige Male zum Gottesdienst, bis sie nach kurzer Zeit in eine andere Gegend zog.

Viele Menschen wurden damals Opfer der unzähligen Zauberpraktiken, die besonders im Inneren des Landes, oft aus Ignoranz und fehlender medizinischer Betreuung ausgeübt worden sind.

Dona Maria war 17 Jahre alt und hatte sich zur Geburt ihres ersten Kindes bei mir angemeldet. Sie hatte noch einige Monate Zeit, und ich hatte sie gebeten, zur Schwangerschaftsberatung zu kommen. Doch ihr Vater hatte das nicht erlaubt. Er war ein Zauberer und wollte nicht, dass sie unter einen religiösen Einfluss geriet. Der Tag der Geburt kam, und sie wurde in unsere kleine Kreisstadt nach Querencia gebracht. Ihre Schwester war Mitglied in unserer Kirche und hatte mir das mit großem Bedauern gesagt. Am nächsten Morgen kam diese Schwester laut schluchzend zu mir und sagte: „Meine Schwester ist gestorben! Wir machen einen Prozess gegen den Doktor!" Nachdem sie sich etwas beruhigt hatte, riet ich ihr dringend davon ab. Ich wollte mit dem Arzt sprechen und mir den Sachverhalt erklären lassen.

Der Arzt war tief betroffen und stand noch unter der Schockwirkung dieses tragischen Ereignisses. Er hatte bei der Untersuchung eine aufsteigende Urämie (Nierenvergiftung) festgestellt, die er nicht mehr medikamentös bekämpfen konnte. Das Kind wurde lebend geboren, aber die Giftstoffe der Urämie hatten bereits den ganzen Organismus der Mutter befallen, sodass keine Hilfe mehr möglich war. Das war sehr traurig. Doch nun konnte ich den Angehörigen sagen, dass D. Maria auch bei mir gestorben wäre, denn in diesem Fall hätte auch ich ihr nicht helfen können. Im Nachhinein erfuhren wir, dass sie schon während der ganzen Schwangerschaft Blut im Urin hatte, doch aus Angst und Scham hatte sie das verschwiegen. Wäre sie zur Schwangerschaftsberatung gekommen, hätte man sicher noch rechtzeitig eine ärztliche Behandlung einleiten können.

Ungefähr vier Wochen später kam die Tante mit dem kleinen Mädchen zu mir. Sie wollte nicht mehr zu einem Zauberer gehen. Das Kind war kreidebleich und abgemagert und konnte keine Nahrung bei sich behalten. Ich sah das Kind auch schon sterben. Doch dann erbarmte sich Gott über das kleine Menschlein und erhielt ihm das Leben. Die Behandlung erstreckte sich über Wochen und schlug gut an. Der leidgeprüfte Vater war überglücklich, dass ihm seine „kleine Maria" als ein Vermächtnis seiner lieben Frau erhalten blieb. Er brachte sie mir im Laufe der Jahre immer einmal wieder, und ich konnte mich an dem gesunden Wachstum des Kindes freuen.

Einmal sollte ich mitten in der Nacht einem Zauberer das Blut stillen, das aus seinem Finger wie aus einem Wasserhahn tropfte. Alle seine Zauberpraktiken, die er bei anderen angewandt hatte, funktionierten bei ihm selber nicht. Da bat er mich, seine Praktiken bei ihm anzuwenden. Das lehnte ich ab und behandelte ihn, wie jeden anderen Menschen, der mit derartigen Verwundungen zu mir gekommen war. Betend verarztete ich ihn jedes Mal. Dabei erzählte er mir, wem er von unserer Gemeinde schon das Blut gestillt hatte. Mal waren es die Menschen, dann auch das Vieh. Nun war mir mit einem Mal klar, warum es im Leben der Einzelnen bestimmte Glaubensblockaden gab. Der Finger wurde wieder heil, und er wollte wissen, warum ihm das nicht geglückt war. Ich konnte ihm nur sagen, dass Gott seine Ehre keinem anderen gibt, wenn er um Hilfe angerufen wird.

Danach vergingen einige Jahre. Der Mann lag im Sterben und konnte nicht sterben. Jede Nacht wurde er furchtbar gequält, hörte Stimmen, und es spukte überall im Hause. Die ganze Familie und auch die Nachbarschaft waren davon betroffen.

Wieder wurde ich gerufen. Der Mann war noch

bei vollem Verstand, und ich konnte ihm klar und deutlich den Weg des Heils zeigen und ihm sagen, dass Jesus auch für seine Sünden, so grausam sie auch waren, am Kreuz gestorben war. Er brach in ein lautes Schluchzen aus und zeigte nur auf das Kreuz, das vor ihm über seinem Bett hing. Er hatte es oft für seine Zauberpraktiken benutzt. Jetzt war es seine Zuflucht.

Aller Spuk war auf einmal beendet. Er wurde ganz stille, als ich noch mit ihm betete, und ist wenige Tage danach eingeschlafen.

Ich will glauben, dass er mit seinem Herzen zu Jesus gekommen ist, der auch heute die größten Sünder immer noch annimmt.

Es war mir immer klar, dass auch mein Dienst ein Einbruch in die dämonische Welt war. Doch ich stand ja im Dienste Jesu auf meinem Platz, dem alle Gewalt gegeben ist, im Himmel und auf Erden. Darum brauchte ich mich nicht zu fürchten, auch wenn um mich herum vieles war, was mir Furcht einflößen wollte und meine Knie manches Mal zitterten. So kann ich nur Gott die Ehre geben und ihm für alle wunderbare Bewahrung und Jesu Siegesmacht danken.

Falsches Mitleid und seine Folgen

„Was ist aus der Kuh von Sr. Antonio geworden? Ob sie nach der guten Spritze wieder gefressen hat?“

Aus dieser an mich gestellten Frage können Sie entnehmen, dass ich keineswegs nur für Geburten und kranke Menschen zuständig war, sondern häufig auch für Tiere. Schweine bekamen Durchfall oder mussten gegen Paratyphus geimpft werden, Kälber, Kühe, Pferde oder Hühner mussten verarztet werden, oder irgendein anderes verletztes Tier brauchte eine Tetanusspritze. Mein Medizinschrank war auch für tierärztliche Dienste ausgestattet, und die Leute waren dankbar, dass sie hierfür nicht extra 100 km in die Stadt fahren mussten.

Doch was war nun aus der Kuh von Sr. Antonio geworden? Sie lebte nicht mehr, brachte uns aber auch nach ihrem Tod noch viel Arbeit. Und das kam so:

Bereits am Tag nach der Spritze kam der Besitzer traurig zu mir und teilte mir mit, dass seine gute Milchkuh wohl von der Tollwut befallen sei. Was nun? Es stand fest, dass die Kuh sofort getötet werden musste, ehe noch andere Tiere oder Menschen in Gefahr gebracht würden. Ein schwerer Schlag für den Mann. Ungefähr fünf Monate zuvor hatte sein tollwütiger Hund eine andere Kuh gebissen, die mit auf der Weide gewesen war. Er wollte den Hund jedoch nicht töten. Erst als der Hund noch zwei Menschen, ein Schwein und eine Kuh gebissen hatte, wurde er getötet. Anscheinend war auch diese Kuh vor fünf Monaten von dem tollwütigen Hund gebissen worden. *Welch ein Verlust durch falsches Mitleid!*

Ein Tierarzt aus Curitiba ordnete an, dass alle Menschen, die Milch von der Kuh getrunken hatten oder auch sonst in irgendeiner Weise Umgang mit ihr hatten, vierzehn Tage lang prophylaktisch gegen Tollwut geimpft werden sollten.

Der Bazillus wird an sich nicht durch Milch übertragen, sondern nur durch Speichel, der im Fall von verletzter Haut und Wunden jeglicher Art schnell in den Körper gelangen kann. Weil jedoch viele Menschen im Inneren des Landes in unsauberen Verhältnissen lebten, die Milch nicht abgekocht wurde und Tollwut bei Mensch und Vieh bis jetzt immer tödlich verlief, war eine solche Verordnung angemessen und musste rigoros durchgeführt werden.

Ich erfuhr, dass sich der Tollwutbazillus bei Menschen bis zu 15 Jahren okkult aufhalten kann, während die Inkubationszeit bei Tieren eine wesentlich kürzere ist. Es gibt keine Heilung für diese Krankheit, sondern lediglich eine vorbeugende Behandlung.

In unserem Fall meldeten sich im Laufe von zwei Monaten siebzig Personen – der jüngste Anwärter für die Impfaktion war sechs Monate, der älteste 66 Jahre alt.

Dass diese Spritzen ohne Unterbrechung und Rücksicht auf irgendwelche Krankheitszeichen vierzehn Tage subkutan in die Bauchdecke injiziert werden mussten, war natürlich nicht angenehm. Da unter meinen Impfpatienten viele Kinder waren, die gut laufen und rennen konnten, war die Aktion mit manchem Sport verbunden. Nicht selten mussten wir uns unsere Patienten einfangen. Zwei junge Mädchen, die mir zu dieser Zeit halbtags tatkräftig zur Seite standen und im Laufe der Zeit schon viel gelernt hatten, mussten sich manchen Kniff, Biss und Wutausbruch von den kleinen Rangen gefallen lassen – aber wir haben oft auch herzlich gelacht. Einige Jungen wollten uns beim Zählen helfen. Dazu malten sie um jede verabreichte Injektion einen bunten Kreis und rechneten uns an Hand der Kreise vor, wie viele Spritzen sie nur noch zu bekommen hätten, damit wir uns ja nicht etwa verzählten und eine Spritze zu viel gaben. Andere wurden mit Seife beschenkt, damit sie sich den Bauch erst einmal richtig waschen konnten. Am nächsten Tag konnte man dann genau feststellen, wie weit Wasser und Seife gereicht hatten und welche Stellen ungewaschen geblieben waren. Für jeden Tag musste ich mir neue Lockmittel und Überraschungen einfallen lassen. Die Bonbon- und Plätzchentüte war eine unverzichtbare Hilfe, ebenso die bunten Kärtchen mit Bild und Gotteswort, und einmal gab es sogar Pudding. Die ganz Armen bekamen nach ihrer letzten Spritze ein Hemd geschenkt.

Als wir mit der Schutzimpfung gegen Tollwut bei den Menschen fertig waren, begann die nächste Aktion, und zwar unter den Hunden. Viele Einwohner, die bis dahin nie ihre Hunde gegen Tollwut hatten impfen lassen, waren durch die Ereignisse der letzten Monate wachgerüttelt worden. Weil die meisten Menschen jedoch keine Spritze hatten, kamen sie mit ihren Hunden zu mir. Da gab es den ganzen Tag lang viele lustige Szenen und Hundegebell in den verschiedensten Tonlagen und Lautstärken. Sogar bis in die Traumwelt hinein verfolgten mich die vierbeinigen Patienten – oder vielmehr ihre Mitbringsel: eine gute Mischung von Flöhen.

Wir konnten bei dieser Aktion feststellen, dass die ärmsten Menschen die meisten Hunde hatten, diese dann aber genauso unterernährt wie ihre Besitzer waren. Der Reichtum der Armen sind ihre Kinder und ihre Hunde – fast 200 Hunde wurden von uns geimpft. Trotzdem hatten wir den Eindruck, damit noch nicht einmal die Hälfte der in unserer Gegend herumlaufenden Hunde erwischt zu haben.

Von jedem Hund musste ich das Alter, den Namen und den Besitzer aufschreiben, eine Arbeit, bei der ich oft schmunzeln musste. Was gab es da für Hundenamen: Puppe, Räuber, Prinz, Treu, Bällchen – alle kamen in mein Hundetagebuch. Jeder geimpfte Hund, beziehungsweise sein Besitzer bekam zum Schluss vom Tierarzt ein Zertifikat ausgestellt, das neben politischem Propagandamaterial einen Ehrenplatz an der Wand des Holzhauses erhielt.

Die Impfaktion brachte mir nicht nur vermehrte Dienste ein, sondern war auch eine Gelegenheit für manch gutes Gespräch. Viele Evangeliumsblätter wurden an die Patienten und Hundebesitzer verteilt und etliche ließen sich zu den Gottesdiensten einladen.

Gott hat viele und oft auch seltsame Wege, die Menschen unter sein Wort zu ziehen, und er lässt uns immer wieder neu die Erfahrung machen, dass in allem ein Segen verborgen liegen kann.

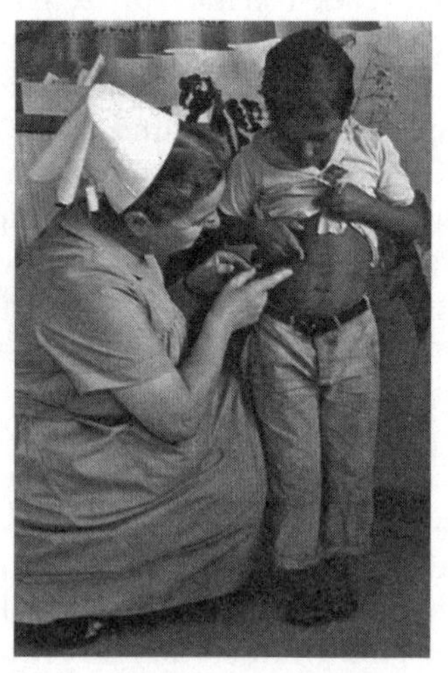

Der Kleine zeigt mir, wo ich hinspritzen muss.

Geburt – Beerdigung und Versöhnung

Da stand sie vor mir, die junge 15-jährige Frau in Erwartung ihres ersten Kindes mit einem Gesicht voller Angst und Unsicherheit. Der Mann, mit dem sie zusammenlebte, hatte sie eine Stunde vor Mitternacht bei mir abgeliefert – etwa so, wie man ein fremdes Paket abgibt.

Ich versuchte, der jungen Frau Mut zu machen, und schließlich fasste sie Vertrauen zu mir und erzählte mir ihre Geschichte. Sie wusste selbst nicht recht, ob es aus Angst vor der Geburt geschah oder ob die Ereignisse der Vergangenheit sie dazu bewegten. Es wird wohl eine Mischung von beidem gewesen sein.

Vor einem Jahr hatte der Mann das Mädchen aus seinem Elternhaus entführt, es jedoch nicht geheiratet. Die Eltern waren voller Hass auf den Mann, und das Mädchen hatte die Eltern seit diesem Zeitpunkt nicht mehr gesehen.

Da die Lage des Kindes nicht günstig war, musste ich mit der jungen Frau in die Stadt fahren. Unterwegs luden wir noch die Mutter der Frau ein, diese sprach jedoch noch kein einziges Wort mit ihrer Tochter, und die gesamte Atmosphäre im Wagen war von Hass und Groll gekennzeichnet. Die holprige Erdstraße, der geringe Komfort in einem Jeep, die Ungewissheit, was werden würde, und dann noch diese angespannte Stimmung – keine einfachen und guten Bedingungen für die junge Frau. Gegen 3.00 Uhr kamen wir in Santa Cruz de Monte Castelo, unserer zweiten Kreisstadt, an. Der Arzt sah zwar besorgt aus, hatte aber die Hoffnung, dass das Kind normal geboren werden könnte. Er stellte mir ein Rezept aus und bat mich, die verordneten Medikamente schnell zu besorgen. Weiterhin fragte er mich, ob ich bei der bevorstehenden Geburt dableiben könne. Die Hebamme des Krankenhauses sei einige Tage zuvor mit der Medizin und allen notwendigen Gerätschaften für eine Geburt abgehauen. So etwas Unglaubliches hatte ich bis dahin auch noch nicht gehört.

Zu der Zeit gab es nur eine Apotheke in der kleinen Kreisstadt und insbesondere in der Nacht konnte es sehr schwer sein, an Medizin zu gelangen. Würde der Apotheker mir, einer Fremden, die erforderliche Medizin aushändigen?

Gott sei Dank – alles gelang problemlos, und ich erhielt die Medizin. Die junge Frau war sehr tapfer, auch als die Sache immer schwieriger wurde. Ab einem gewissen Zeitpunkt war klar, dass das Kind nicht mehr lebendig auf die Welt kommen würde. Wir setzten unsere ganze Kraft ein, wenigstens die junge Frau am Leben zu erhalten. Mittlerweile war es Tag geworden.

Bereits drei Stunden nach der schwierigen Geburt, die Infusionslösung war gerade zu Ende getropft, musste ich die Frau mit ihrem toten Kind schon wieder in den Jeep laden. Ihre Mutter war immer noch wie versteinert und sprach kein einziges Wort. Ich dachte noch: *Wenn nur der Mann wenigstens hier wäre!*, doch bis zur Stunde war er noch nicht erschienen, so dass ich mich schließlich auf den Weg nach Querencia, der nächsten Kreisstadt, machte, denn in Santa Cruz gab es keine Totenschein-Formulare mehr. Sie wurden erst wieder erwartet.

Unterwegs entdeckten wir den Mann der jungen Frau, völlig betrunken, auf der anderen Straßenseite. Ich lud ihn ebenfalls in den Wagen, nachdem ich ihm kurz die Situation erklärt hatte, und wir fuhren weiter. In Querencia zogen wir von einer Behörde zur anderen, doch weder dort noch in der anderen Kreisstadt bekamen wir einen Totenschein, und diesen brauchten wir doch so dringend, um den Bürgermeister um einem Platz auf dem Friedhof ersuchen zu können. In unserem Fall erteilte der Bürgermeister schließlich auch ohne das Formular die Erlaubnis, das tote Kind auf dem Friedhof zu bestatten. Er benachrichtigte die Totengräberin, die uns den Platz zuwies.

Wir hüllten das tote Kind in ein Stück Stoff, und ich hatte einen leeren Karton im Auto, der zum Kindersarg wurde. Als ich das Kind fertig gemacht hatte, betete ich mit meiner kleinen Trauergemeinde und übergab den Kartonsarg der Totengräberin, die schon vor dem ausgeschaufelten Grab stand. Ein schreckliches Erlebnis, vor allem für die junge, frischentbundene Mutter, die alles vom Wagen aus mit ansehen musste.

Traurig und bewegt fuhren wir nach Porto Brasilio zurück, während sich über uns ein Unwetter zusammenzog. Es donnerte und blitzte, der Sturmwind peitschte von allen Seiten, und wolkenbruchartiger Regen platzte hernieder. Schnell füllten sich die Löcher und tiefen Gräben der Erdstraße mit Regenwasser – die Straße glich einem See. Ich dachte in meinem Herzen: *Wer würde in Deutschland eine frischentbundene Mutter nach all den erlebten Strapazen auf solch einen Weg schicken und ihr eine solche Reise zumuten?* Aber ich wusste, dass die Umstände in Brasilien keine andere Möglichkeit boten und wir zu solchen Risiken gezwungen waren und fahren mussten. Ich bin Gott so dankbar, dass wir in dieser schweren Situation ganz besonders seine Hilfe und Bewahrung erfahren durften – nur eine der zahlreichen Gebetserhörungen unserer treuen Fürbitter.

Am Nachmittag, als ich noch einmal nach der jungen Frau sah und sie medizinisch versorgte, waren auch ihre Eltern anwesend. Ich sah eine Gelegenheit, mit allen Anwesenden zu sprechen. Eine Wand aus Hass und Groll war deutlich zu spüren, doch während des Gesprächs schien sie zu weichen. Alle Beteiligten sahen ihre Schuld ein, und es kam tatsächlich zu einer Aussöhnung – der traurige Anlass wandelte sich zu einem echten Versöhnungsfest.

Die Eltern der jungen Frau waren sehr arm, aber sie waren so dankbar für den erfahrenen Rat und alle Hilfe, dass sie mir ein Ferkel für das Reich Gottes schenken wollten. Das hatte ich bis dahin auch noch nicht erlebt! Der Zeitpunkt, zu dem sie das Versprechen einlösen wollten, war jedoch noch unklar – das Ferkel musste erst noch geboren werden.

Eines Tages jedoch stand der Vater der jungen Frau tatsächlich vor meiner Haustür und hatte in einem Sack auf dem Rücken das versprochene Ferkel für die Mission dabei. Er sagte: „Schwester, ziehen Sie das Ferkel schön groß, und wenn es das richtige Gewicht zum Schlachten hat, dann machen Sie ein Fest mit Ihren Missionsgeschwistern." Eine gute Idee, aber wo sollte ich mein Ferkel beherbergen und großziehen? Ich hatte ja keinen Schweinestall! Schließlich stellte sich jemand aus der Gemeinde bereitwillig zur Aufzucht des Ferkels zur Verfügung. Als es ungefähr 60 kg hatte, war es dann schon ein richtiges Schwein und wurde geschlachtet. Die Frau, die es großgezogen hatte, ging mit dem Schweinefleisch in einer Schüssel auf dem Kopf durch den ganzen Ort und bot das frische Schweinefleisch überall an. Sie wurde jedoch nicht nur von Menschen, sondern erst recht von vielen Fliegen umschwirrt. Als sie bei mir ankam, war noch ein kleiner Fleischrest in der Schüssel, und dieser sollte mir gehören. Außerdem gab sie mir den Erlös des Schweinefleisches – ein Opfer für die Mission. So wurde aus dem Missionsferkel ein

Missionsschwein und daraus schließlich noch ein Missionsopfer.

Das sind ja gute Aussichten

Ob da wohl noch jemand meine Hilfe braucht?, dachte ich, als ich die Schritte vor meiner Haustür vernahm. Dann erfolgte ein heftiges Klatschen und Rufen. Ich öffnete die Tür, vor der ein nicht gerade vertrauenserweckend aussehender Mann stand. Er wollte, dass ich mit ihm zu seiner Frau kam. Ich fragte ihn, ob sie krank sei. „Weiß ich nicht", war seine Antwort. „Bekommt sie ein Kind?", fragte ich zögernd weiter. Und wieder bekam ich dieselbe Antwort: „Weiß ich nicht." „Hat sie Schmerzen?" „Weiß ich nicht." Da war guter Rat teuer. Was sollte ich für Medikamente mitnehmen, vielleicht brauchte sie ja auch nur einen guten Rat?

Ich machte mich mit ihm auf den Weg. Gut, dass er die Trampelpfade kannte, ich hätte mich auf jeden Fall verlaufen, erst recht im Dunkeln. Unterwegs wurde er gesprächiger. Er erzählte, dass er schon einige Menschen umgebracht habe und wie er es angestellt hatte. Ein Schaudern überkam mich. Das waren ja gute Aussichten! *Bin ich jetzt etwa die Nächste*? Kein Mensch wusste, wo ich war. Aber er brauchte meine Hilfe, da musste ich nicht um mein Leben fürchten. Eine stärkende Medizin und ein mutmachendes Wort können auch heute noch Wunder wirken.

Ein paar Tage später brachte mir der Mann ein Hühnchen als Dank. Und solche Erlebnisse hatte ich nicht nur einmal.

Manches Mal war ich froh, wenn ich nicht mit meinem eigenen Fahrzeug unterwegs sein musste. Einmal nahm mich ein Ehepaar im Wagen zu der Entbindung einer Frau mit, die tief im Wald lebte. Nachdem wir ungefähr 2 km gefahren waren, lag ein dicker Baum quer über dem Weg. Mit vereinten Kräften schoben wir den Baum Stück für Stück beiseite, bis wir mit dem Wagen daran vorbeikamen. Anschließend mussten wir eine äußerst fragwürdige Brücke überqueren. Unter uns rauschte das Wasser, um uns herum war finstere Nacht und vor uns wackelnde Bretter auf der Brücke. Ich hielt die Luft an und bangte um mein Leben. Auf der anderen Seite angekommen, blieb auch noch unser Wagen stehen. Der Anlasser hatte Probleme. Wieder versuchten wir mit aller Kraft, den Wagen in Bewegung zu setzen. Da, endlich sprang er wieder an! Ich dachte die ganze Zeit an die schwangere Frau, wir hatten bereits eine Menge Zeit verloren. Mit Mühe kamen wir noch bis zum nächsten Gehöft, doch dort war es endgültig vorbei mit dem Wagen. Wir mussten zu Fuß weitergehen. Der Fahrer wollte in der Zwischenzeit den Wagen reparieren und wir Frauen machten uns, von einigen anderen Leuten begleitet, auf den Weg.

„Wie weit ist es denn noch?", wollte ich wissen. „Nur noch 500 Meter." *Na, die werden wir schnell zurücklegen,* dachte ich, während es mit Sack und Pack weiter ging. Inzwischen hatten wir schon mindestens drei Mal 500 Meter geschafft. Wir wackelten und stolperten über Stock und Stein, durch kleine Gebirgsbäche und das bei immer schwächer werdendem Licht der Taschenlampe. Wieder fragte ich: „Sind wir noch nicht bald da?" Die Antwort lautete: „Nur noch drei Kilometer." Wie war das möglich? Welche Entfernungsvorstellungen hatten die Leute?

Mit einem Mal hörten wir einen Schuss. Ich schrak zusammen. Würden wir jetzt auch noch die Bekanntschaft mit Banditen machen? In den Wäldern Brasiliens war alles möglich. Würden wir etwa erschossen? Das waren alles andere als gute Aussichten.

Meine Begleiterinnen lachten jedoch und sagten: „Jetzt ist das Kind da, aber der Rest fehlt noch.“ Von diesen Praktiken hatte ich bis dahin auch noch nichts gehört. Es waren Kommunikationsschüsse, die den nahen und fernen Nachbarn die Neuigkeit des neugeborenen Kindes überbringen sollten. Wenig später fiel der zweite Schuss. „So, jetzt ist alles da!“ Da wurden wir auch schon von lautem Hundegebell begrüßt – auch wir waren endlich angekommen.

Wir fanden die frischentbundene Frau auf einer Matratze sitzend, eine Maisstrohzigarette in der einen und das in Lumpen gewickelte Neugeborene in der anderen Hand. Eine kleine Petroleumfunsel erhellte schwach das elende Umfeld. Ein Bild des Erbarmens. Die Mutter war sehr dankbar, dass ich ihrem Kind saubere Wäsche geben konnte. Ich versorgte noch den Nabel und gab der Mutter einige Stärkungsmittel für die nächste Zeit.

Nachdem ich alle Anwesenden dem Erbarmen und der bewahrenden Gnade Gottes anbefohlen hatte, traten wir unseren Heimweg an. Der Weg kam mir dieses Mal noch länger vor. *Wir müssten doch längst das Gehöft erreicht haben*! Wie gut, dass es nicht auch noch regnete. Als wir endlich ankamen, war der Wagen sogar wieder fahrtüchtig, und wir kamen schließlich in der Morgenfrühe des nächsten Tages todmüde, aber wohlbehalten wieder zu Hause an. *Was werde ich wohl noch alles in den Wäldern Brasiliens erleben?*

Auch das gab es!

Es war gegen 4.00 Uhr morgens, als ich vom Wiehern eines Pferdes erwachte. Sollte ich ein Rufen überhört haben? Ich blieb zunächst liegen und horchte gespannt. Nach einiger Zeit trabte das Pferd weiter. *Also war es doch niemand für mich*, dachte ich. Aber an Schlaf war nicht mehr zu denken, so dass ich schließlich aufstand und mich für den Tag vorbereitete.

Da hustete plötzlich jemand um 6.00 Uhr vor meiner Haustür. Es war jener Reiter. Der Mann fragte mich, ob ich schnell mit ihm zu seiner Frau kommen könne, sie erwarte ihr 16. Kind. Um alles in der Welt! Auf meine Frage, warum er mich denn nicht schon früher gerufen hätte, entgegnete er: „Ich wollte Sie doch nicht stören!“ Und das beim 16. Kind – dass es so etwas gab!

Großfamilie

Schnell griff ich nach meiner bereitstehenden Tasche mit den Geburtsutensilien, und los ging die Fahrt. Aber wohin? Der Mann hatte mir den Weg nicht erklären können, so dass er im Galopp vorausritt und ich ihm über Stock und Stein langsam mit dem Wagen folgte. Ich dachte bei mir: *Die arme Frau hat ihr Kind bestimmt schon längst vor unserer Ankunft geboren.*

Doch wir kamen noch rechtzeitig. Nur gut, dass es nicht geregnet hatte. Ich beförderte die große Kinderschar zum Spielen nach draußen, dankbar, dass jemand da war, der sich um den Rest der Familie kümmern konnte. Diesmal war die Sache jedoch spannend, weniger für mich als für die Kinder.

Ich wandte mich der Mutter zu, die auf einer Maisstrohmatratze in einem düsteren Raum ohne Stuhl und Hocker auf dem Boden lag. Die Holzwände der Hütte hatten breite Ritzen. Ich legte mein Geburtsmaterial auf gebügelten Tüchern in eine Ecke des Lagers und wollte mir gerade die Handschuhe anziehen, als ich lauter Nasen und Augen zwischen den Holzritzen entdeckte. Nein, so etwas! Das war auch für mich ein erstmaliges „Geburtserlebnis".

Als ich hernach den Vater fragte, warum er die Kinder nicht ferngehalten habe, antwortete er: „Es war für die Kinder so spannend, dass sie dieses Mal nicht dabei sein sollten. Sonst hatten sie immer alles miterlebt, so dass sie diesmal dachten, es müsse etwas ganz Besonderes passieren. Da war es mir unmöglich, die Bande zurückzuhalten." Das gibt es also auch.

Ein anderes Mal saß ein kleines Kind hinter einem großen Sack Zucker, während ich der Mutter bei der Geburt half. Das Rascheln am Zuckersack weckte meine Aufmerksamkeit, und ich dachte zunächst, es seien Mäuse, als ich den Lockenkopf eines Kindes bemerkte. Es hatte sich still mit beiden Händchen am Zucker gelabt. Was man nicht alles bei einer Geburt erleben kann! Es kam auch nicht selten vor, dass nach dem Ausbreiten meiner frisch gebügelten Tücher die Hühner die Ersten waren, die sie begutachteten, während die Schweine einen Durchgang durch meine Beine suchten. Da war alle Sterilität und Hygiene dahin. Die an der Geburt interessierten Hunde und Katzen sorgten dazu noch für eine Menge von Flöhen, die mir das Hantieren erheblich erschwerten, da ich mich ja nicht wehren konnte. In solchen Situation blieb mir nur das Gebet. Dem Herrn sei Lob und Dank, er bewahrte die Mütter über alles Verstehen hinaus vor Infektionen. Bald war eine Geburt am Tag, dann wieder in der Nacht fällig. Da waren wenigstens die Hühner und Schweine nicht anwesend. Aber dafür konnte ich andere Geschichten erleben!

Einmal wurde ich nachts zu einer Frau gerufen, die ebenfalls schon mehrere Kinder hatte. Doch wohin mit den ganzen Kindern? Ich bat den Vater, sich mit ihnen in meinen Wagen zu setzen, was er gerne annahm. Ich dachte mir: *So können die Kinder wenigstens weiterschlafen.* Ja, so dachte ich – die Kinder allerdings dachten sich etwas anderes. Sie waren mittlerweile hellwach und fanden es hochinteressant, die neuentdeckte Hupe am Auto laufend auszuprobieren.

In der Zwischenzeit hatte ich wiederum eine andere Entdeckung gemacht. Ich war gerade dabei, den neuen Erdenbürger zu empfangen, als ein anderes Kind, vielleicht zwei Jahre alt, unter der Decke der Mutter hervorkroch. Es hatte anscheinend keine Luft mehr bekommen, nachdem ich die Decke zurückgeschoben hatte. Die Mutter sagte, dass sie das Kind nicht stören würde. Ich hätte es zwar lieber anders gehabt, aber was blieb mir für eine Wahl? Ich fügte mich in das Unabänderliche mit dem Gedanken: *Es gibt eben nichts, was es nicht gibt!*

Manchmal löste sich aus irgendeinem Grund die Nachgeburt nicht – eine andere Situation, in der ich häufig gerufen wurde. Da konnte ich nur hoffen, dass die Waldhebammen oder Zauberer nicht schon mit ihren Medikamenten und Techniken am Werk gewesen waren. Einmal wurde ich in eine Hütte geholt, in der man die Nabelschnur der frisch entbundenen Frau an der niedrigen Holzhütte befestigt hatte. Betend versuchte ich durch eine leichte Massage langsam die Plazenta zu lösen. Es war ein Prozess des Wartens und Vertrauens auf Gottes gnädiges Eingreifen, und er tat es. Voll Freude dankten die Mutter und ich ihm, dass er sie vor einem großen Blutverlust bewahrt hatte.

In manchen Fällen musste ich ärztliche Hilfe in Anspruch nehmen. Wie war ich dankbar, wenn ich die Frauen noch lebend ins Krankenhaus hatte bringen können. Dabei war mir die gute Zusammenarbeit mit den Ärzten, egal auf welcher meiner Missionsstationen, ein weiterer Grund großer Dankbarkeit.

Eine solche Notsituation werde ich wohl nie vergessen. Als wäre es gerade gestern geschehen, steht mir das Erlebnis noch immer vor Augen. Damals fuhr ich mit zwei Männern im Jeep auf einer halsbrecherischen Fahrt zu einer Hütte tief im Wald. Da stand sie vor mir, in unbeschreiblicher Armut, eine Frau, die schon so viel Elend und Leid hatte erleben müssen. Sie hatte bereits mehrere Kinder verloren, und erst vor acht Tagen hatte sich die älteste Tochter aus Liebeskummer mit 16 Jahren das

Leben genommen. Der Mann der Schwangeren war ein Trinker und lag irgendwo betrunken im Wald. Nun erwartete sie ihr sechzehntes Kind und krümmte sich vor Schmerzen. Ich konnte keine Herztöne des Kindes vernehmen. Was sollte ich tun? Ich konnte die Frau doch nicht einfach ihrem Elend überlassen. Ich bat Gott um orientierende Wegweisung. Mir war klar, dass ärztliche Hilfe absolut erforderlich war, aber wie sollte die Frau in das über 100 km entfernte Krankenhaus kommen?

Ich bat die beiden Männer, die mich geholt hatten, diesen Liebesdienst zu übernehmen. Sie sagten jedoch, dass ihr Wagen nicht in Ordnung sei und dass sie außerdem zu wenig Sprit für die Fahrt hätten. Da fiel ihnen ein, dass einige Kilometer weiter ein Mann wohnte, der ebenfalls einen Wagen hatte. Dieser erklärte sich dann auch bereit, uns zu fahren, jedoch nur unter der Bedingung, einige Kontrollpunkte umfahren zu dürfen, da er keinen Führerschein hatte. Auch das gab es sehr häufig!

Die Frau hatte inzwischen so starke Wehen, dass wir einige Male anhalten mussten. Wir befürchteten, das Kind käme unterwegs zur Welt, doch wir schafften es gerade noch zur rechten Zeit ins Hospital. Bei der Untersuchung durch den Arzt sprang die Fruchtblase, und die Frau verlor über drei Liter Fruchtwasser. Sofort danach setzte eine massive Blutung ein, die die Frau beinahe das Leben kostete. Sie konnte nicht einmal mehr von der Trage ins Bett umgelagert werden und bekam sofort eine Bluttransfusion und Kochsalzlösung injiziert.

Doch was war mit dem Kind? Der Arzt stellte fest, dass es bereits seit Monaten tot im Mutterleib gelegen hatte und den Körper der Frau durch Toxine vergiftet hatte. Die arme Mutter!

Sie blieb noch einige Tage im Krankenhaus und wurde gut betreut. Der Arzt sagte zu ihr: „Dass Sie am Leben geblieben sind, das haben Sie der Schwester und nicht mir zu verdanken." Ich aber wusste, dass es der lebendige Gott war, der sich über diese arme Frau erbarmt und sie ihrer Familie erhalten hatte. Ich war nur das Werkzeug in seiner Hand gewesen.

Feinde werden zu Freunden

Eines der unvergesslichen Erlebnisse in Brasilien war die Episode mit zwei Messerstechern, die mir eines Abends gegen 19.00 Uhr gebracht worden waren. Beide waren sternhagelvoll und blutüberströmt. Sie hatten sich aus Eifersucht gegenseitig umbringen wollen. Nachdem sie sich mit großen Buschmessern einige tiefe Schnitte und klaffende Wunden zugefügt hatten, waren sie betrunken übereinander hergefallen, bis sie schließlich auf einem Waldweg liegengeblieben waren. Ein Wagen der Bürgermeisterei war zufällig dort langgefahren, und der Fahrer hatte zunächst gedacht, auf dem Weg liege ein Ochse, der verblutet sei. Mit welchem Entsetzen erkannte er, dass es sich um zwei Menschen handelte. Er lud sie auf seinen Wagen und fuhr mit ihnen zur nächsten – damals einzigen – Tankstelle in unserer Gegend. Der Tankwart legte sogleich Hand an, mit der Absicht, die Blutung zu stillen. Er nahm 1 kg Kaffeepulver und verteilte es auf die Wunden. Diese Methode wandte man im Inneren des Landes, wo es keine ärztliche Hilfe gab, häufig an, und auch Zauberer bedienten sich ihrer oft. Außerdem legte er noch einen Verband mit einem alten Öllappen an, der von den Autofahrern nach dem Ölwechsel zum Säubern der Hände benutzt worden war.

Ein Mann, der gerade getankt hatte, wurde aufgefordert, die beiden Männer zu mir – etwa 40 km Weg – zu fahren. Der Tankwart sagte zu dem Autofahrer: „Bring sie schnell zur Schwester, denn die Strecke von 100 km bis zum nächsten Krankenhaus überstehen sie nicht mehr!“ Nun waren sie da, und ich hätte sie am liebsten in die Stadt geschickt. Doch der Autofahrer bat mich händeringend: „Bitte erbarmen Sie sich über die beiden Männer. Ich bringe sie nicht mehr lebend in die Stadt“, und schon hatte er den Ersten in mein kleines Ambulatorium geschleift.

„Nie hätte ich mir vorgestellt, dass man als Hebamme auch Messerstecher zu verarzten hatte! Und es waren nicht die Einzigen!“

Ich zündete schnell eine Gaslampe an und wandte mich dem 21-jährigen zu. Wie war der Mann zugerichtet. Betend wagte ich mich ans Werk und reinigte zunächst die große Verletzung am Kopf – eine 22 cm lange, von Kaffeekörnchen gefüllte Wunde. Eine Betäubung war nicht nötig, denn dafür sorgte bereits das hohe Maß an Alkohol. Es war nicht leicht, diese und auch die anderen Wunden sorgfältig vom Kaffeepulver zu reinigen. Noch dazu wurde dem Autofahrer, der daneben stand, beim Anblick der pulsierenden Venen schlecht. Fast wäre er noch über meinen Patienten gefallen, und ich musste meine Aufmerksamkeit auch noch auf ihn richten. Ich hatte keinen Sauerstoff, aber Gott sorgte für einen frischen Abendwind, so dass er sich vor der Haustür wieder erholte. Nachdem ich die Wunden genäht, Tetanusserum, Antibiotika und Stärkungsmittel injiziert und mehrere Verbände angelegt hatte, konnte ich meinen Patienten auf meine sogenannte Intensivstation auf den Rasen vor dem Haus verlegen. Dort wurde er vom kühlen Abendwind umweht, während ich mich dem zweiten Mann zuwandte. Er war 27 Jahre alt und nicht ganz so übel zugerichtet wie der erste. Nach ungefähr drei Stunden konnten beide Männer wieder in den Wagen geladen werden, und ich bat den Fahrer, sie doch noch ins Krankenhaus zu fahren, da ich ja lediglich nur Erste Hilfe leisten konnte.

In meinem Ambulatorium sah es aus wie auf einem Schlachtfeld, und ich brauchte lange, um alles wieder zu säubern. In den wenigen Nachtstunden bis zum Morgen spielte sich das Erlebte immer wieder vor meinen Augen ab, und ich begleitete die Männer im Gebet auf ihrem Weg ins Krankenhaus. Der Fahrer hatte meiner Anordnung auch Folge leisten wollen, aber als die Männer nach und nach zu sich kamen und gesprächig wurden, nahm er von diesem Vorhaben Abstand.

Unterdessen war die Polizei den beiden Raufbolden auf der Spur. Nach zwei Tagen stand der Fahrer mit den beiden Messerstechern vor meiner Haustür und lachte mich an. Mir blieben die Worte im Halse stecken, als ich sie kreidebleich vor mir stehen sah. Sie kamen auf Anordnung des Polizeichefs, mit dem ich schon des öfteren Kontakt gehabt hatte. Sie hatten ihre großen, ungefähr 50 cm langen Buschmesser dabei, an denen noch die Blutspuren zu sehen waren. Nun wurden sie von der Polizei einkassiert, und die beiden gingen ins Gefängnis, aber zuvor sollte ich ihnen noch einen ordentlichen Verband anlegen. Jetzt, da sie nüchtern waren, erzählte ich ihnen von Jesus und legte ihnen sehr ans Herz, sich zu versöhnen. Außerdem gab ich ihnen einige Evangeliumsblätter mit auf den Weg ins Gefängnis, da sie dort sicher Zeit zum Lesen hätten. Ich bat den Polizeichef, auch wenn die beiden Strafe verdient hätten, sie doch bitte nicht auf den Kopf zu schlagen, da sonst meine ganze Arbeit vergeblich gewesen wäre.

Acht Tage später sollten sie zum Fäden Ziehen wiederkommen. Doch es vergingen fast vier Wochen, bis jener Autofahrer wieder einmal bei mir vorbeikam und andere Patienten brachte. Als ich mich nach den Messerstechern erkundigte, sagte er: „Denen geht es gut, die arbeiten schon wieder."

„Aber sie sollten doch nach acht Tagen zum Fäden Ziehen kommen", entgegnete ich.

„Die Fäden habe ich gezogen, denn ich habe ja aufgepasst, wie Sie alles gemacht haben. Außerdem waren die Wegverhältnisse so schlecht, dass ich gar nicht kommen konnte."

Die beiden Messerstecher mit dem Buschmesser und Kopfverband.

Dann erzählte er mir, wie er die Fäden gezogen und wie er die Männer überredet hatte, sich seinen Händen anzuvertrauen. Er hätte ihnen gesagt, dass es auch nicht so weh tun würde wie bei der Schwester (obwohl sie doch gar nichts gespürt hatten, weil sie so gut narkotisiert gewesen waren). Wir mussten beide herzlich lachen. Schließlich fuhr er fort: „Und noch etwas ist geschehen. Die beiden haben Ihre Schriften gelesen und mich gebeten, sie an die Stelle zu fahren, an der sie sich umbringen wollten. Dort haben sie sich die Hände gereicht und einander vergeben und sich versöhnt. Sie sind sogar Freunde geworden."

Zweimal rund um die Uhr

Es war 4.30 Uhr. In Deutschland hatte der Tag bereits begonnen, doch in Brasilien war es vier Stunden später. Ein leichtes Morgengrauen zeichnete sich bereits am Horizont ab und kündigte den neuen Tag an, die Vögel begannen leise, ihr Morgenlied zu zwitschern. Todmüde fiel ich in mein Bett, doch an Schlaf war nicht zu denken. Das Thermometer zeigte noch über 30 Grad an, und die Erlebnisse der letzten zwei Tage und Nächte hatten mich so aufgewühlt, dass ich sie nicht so schnell abschütteln konnte.

Zwei Tage zuvor war Dona Terezinha zu mir gekommen. Für den nächsten Monat war der Geburtstermin ihres sechsten Kindes festgelegt worden. Sollte sie sich auch, wie so viele Frauen in unserer Gegend, mit den Angaben geirrt haben? Sie machte ein besorgtes Gesicht und kurz darauf sah auch ich sehr besorgt aus: Vorzeitige Lösung der Plazenta. Das Kind befand sich in höchster Lebensgefahr.

Wenn nur die schlechten Straßenverhältnisse nicht wären! Durch die wiederholten Unwetterkatastrophen in der letzten Zeit waren unsere Erdstraßen so aufgewühlt, ja zum Teil aufgerissen, dass es nicht nur einer gewissen Fahrpraxis, sondern großer Fahrkunst bedurfte, um an den tiefen Gräben und Löchern vorbeizukommen, ohne abzurutschen. Nur die Kinder freuten sich. Sie fanden die tiefen Gräben und Löcher herrlich zum Versteckspielen.

Mit der blutenden Frau legte sich mir eine solche Last aufs Herz, die ich nur im Glauben auf den Herrn Jesus wälzen konnte. Ich erfuhr bei der Behandlung und im Umgang mit ihr buchstäblich das Wort aus Psalm 37,5: *„Wälze auf Jehova die Last deines Weges, lass dein Vertrauen auf ihm ruhen, er wird handeln."* Das Wissen, dass in Deutschland viele Beter hinter mir standen, die täglich Weisheit und Gnade vom Herrn für mich erbaten, stärkte mich.

Zwischendurch kamen viele anderen Patienten zur Behandlung. Von ihnen erfuhr ich auch, dass der Omnibus gestern auf dem halbem Weg hierher steckengeblieben und die Straße unvorstellbar schlecht sei.

Die Nacht stand uns bevor. Ich befahl Mutter und Kind im Gebet dem Herrn an und vertraute ihm weiter, und Gott nutzte die Situation, um sich zu verherrlichen. Normalerweise hätte ich die Frau sofort ins Hospital gebracht, um ihr ärztliche Hilfe zukommen zu lassen. So konnte ich nur immer wieder die Herztöne des Kindes kontrollieren und war froh, als es Mutter und Kind besser ging.

Was würde der neue Tag bringen? Es klingelte. Dona Aparecida, die Schwägerin von Dona Terezinha, stand vor der Tür. Ich hatte sie schon vor zehn Tagen erwartet und dachte, sie habe ihr zweites Kind sicher schon zu Hause geboren. „Der Mond hatte keine Kraft", sagte sie, nun solle das Kind heute geboren werden. Die beiden Schwägerinnen unterhielten sich – ab und zu eher stöhnend – und ich konnte mich vorläufig noch den anderen hilfesuchenden Menschen, 34 an der Zahl, zuwenden. Gegen 16.00 Uhr konnte ich Dona Terezinha zwar ein zu früh geborenes, aber dennoch gesundes Mädchen in den Arm legen – wahrhaftig ein Wunder Gottes!

Nun musste nur noch die Schwägerin die letzte Anstrengung bewältigen. Draußen bahnte sich das nächste Unwetter an. Der Sturm tobte, es donnerte und blitzte. *Hoffentlich kühlt es etwas ab* – es waren immer noch 35 Grad in den Räumen. *Wenn nur das Licht nicht noch ausgeht, wie so oft bei einem Unwetter in der letzten Zeit.* Da klingelte es wieder Sturm. Oh nein, jetzt konnte ich wirklich keine Unterbrechung mehr gebrauchen! Schnell ein Blick zur Tür. Da stand eine Mutter mit ihrem blutüberströmten Jungen. Der Fünfjährige war vom Baum gefallen und hatte sich eine große, klaffende Wunde am Kopf zugezogen, die sie im Laufe des Nachmittags mit Zucker hatte schließen wollen. Das war eine von den Zauberern empfohlene und weitverbreitete Methode. Doch das Blut war immer weiter gelaufen und nun standen sie vor mir. In solchen Situationen, wo jeder Handgriff und jede Minute ihre Bedeutung hat, kann man nur noch zu Gott flehen und um seine Weisheit und sein Erbarmen bitten. Ich verarztete rasch den Kleinen und war froh, dass die Blutung verhältnismäßig schnell zum Stillstand kam.

Danach schnell zu Dona Aparecida. Durch den Türspalt hatte ich ihr immer wieder einen Blick zugeworfen und ein mutmachendes Wort gesagt. Bald darauf brach sich die Freude Bahn: Ihr kleiner Bub hatte ein Schwesterchen bekommen. Sie wurde natürlich mit in das Bettchen gelegt, das ihre Cousine schon einmal vorgewärmt hatte. Beide Mütter waren froh und dankbar und ich erst recht. Nach einem kräftigen Nachtessen, denn es war bereits wieder bald Mitternacht, las ich den Frauen noch einen Lob-

und Dankpsalm vor und befahl uns alle im Gebet der treuen und bewahrenden Hand Gottes an. Anschließend versorgte ich noch einmal die beiden Cousinchen und machte mich mit dankbarem Herzen bettfertig.

Ich lag kaum im Bett, da hörte ich Schritte, und schon klingelte es wieder an meiner Tür. Es war jene Mutter mit dem verletzten Jungen vom Abend zuvor. Das Kind, die Mutter, der große Bruder, der das Kind getragen hatte, alle standen mit blutgetränkter Kleidung vor mir. Was war geschehen? Das Kind hatte den Verband im Schlaf vom Kopf gerissen und sich hin- und hergewälzt. Als die Mutter erwacht war, lag der Junge bereits in einer Blutlache und stand jetzt aufgrund des hohen Blutverlustes unter Schock.

Schnell legte ich einen Tropf zum Flüssigkeitsausgleich und einen mit einer Blutersatzlösung an und verabreichte ihm blutstillende Mittel. Wie gut, dass die Straßenbaumaschinen den ganzen Nachmittag gearbeitet hatten. So konnte ich die Frau, nachdem sich der Junge etwas erholt hatte, doch noch zur Stadt schicken.

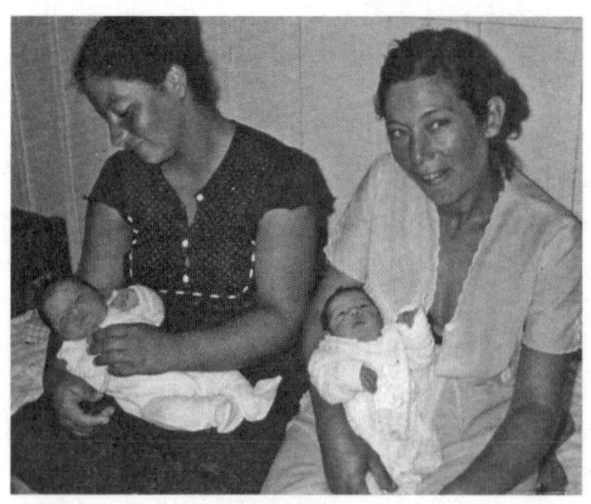

Meine beiden „Kusinchen“ mit ihren dankbaren Müttern.

Nachdem ich mein Verbandszimmer gesäubert und aufgeräumt hatte, stand ich wie schon einmal in dieser Nacht davor, ins Bett zu steigen. *Es war 4.30 Uhr – zweimal rund um die Uhr!* Kein Wunder, dass ich todmüde war, aber ich war auch tief dankbar für die erlebte Gotteshilfe.

Die beiden Schwägerinnen verließen mein Haus dankbar, und auch dem verletzten Jungen ging es bald wieder gut. Die verabreichten Medikamente hatten bereits gewirkt, als er ins Krankenhaus kam. Ich aber weiß, daß Jesus allein der Handelnde war, denn er hat es in seinem Wort versprochen: *„Wälze auf Jehova die Last deines Weges, lass dein Vertrauen auf ihm ruhen, er wird handeln."*

Gib Gott, was ihm gehört

„Wie machst du das nur, dass du immer etwas abzugeben hast, wo du doch unter so armen Menschen lebst?" So wurde ich häufig gefragt. Dieses Geheimnis kann jeder erleben, wenn er Jesus seinen Dank und seine Liebe bekunden möchte.

Bereits als Kind machte ich darin erste Erfahrungen und „erglaubte" mir meine erste Bibel pfennigweise. Ich zog Leuten die Handwagen, trug ihre Taschen und half älteren Menschen, und manches Mal wurde ich anschließend mit einer Pfennigspende belohnt. Diese bewahrte ich sorgfältig auf, da ich mir unbedingt eine Bibel kaufen wollte, die ich mein Eigentum nennen konnte. Immer wieder schüttete ich abends die Pfennige auf mein Bett, um sie zu zählen. Sie mussten doch endlich eine Mark ergeben! Das war damals der Preis für die billigste

Bibel. Mein Glück war unbeschreiblich groß, als ich dieses Glaubensziel erreicht hatte, und meine Bibel war mir unglaublich wertvoll und kostbar.

Ich konnte deshalb später auch keine Bibeln verschenken, sondern versuchte, den Menschen Gottes Wort lieb und wert zu machen. Sie selbst hatten mir ja gesagt: „Was nichts kostet, ist nichts wert."

Später las ich dann als Jugendliche, dass Gott seinem Volk geboten hatte, den Zehnten von jeglichem Ernteertrag abzugeben. Es wurde mir zu einer Gewohnheit, dieses Verhalten auch für mein persönliches Leben so einzuüben, und ich machte bereits lange vor meiner Zeit in Brasilien damit kostbare Glaubenserfahrungen. Ich wurde dabei nie ärmer und hatte immer etwas abzugeben.

Jetzt war ich aber in Brasilien. Sollten hier andere Glaubensregeln gelten? Nein, denn ich hatte bereits erfahren, dass Gott auch hier zu seinem Wort steht. Also ging es weiter auf dem Weg des Glaubens.

Einmal brauchten wir auf einer Station Nägel, um ein Grundstück für einen Kirchenbau einzuzäunen. Wir hatten jedoch kein Geld in der Kirchenkasse. Wir hatten keinen Spendenanruf gestartet, sondern in einem von uns aufgestellten Kasten konnten die Menschen ihr freiwilliges Opfer einwerfen. Monate vergingen. Als wir dann eines Tages in dem Kasten nachsahen, war weit mehr Geld darin, als eigentlich benötigt wurde. Wir fühlten uns ermutigt, nun auch für neue Kirchenstühle „zu glauben". Wieder vergingen Monate. Doch wie groß war die Freude, als wir die wackligen Bänke gegen neue Stühle eintauschen konnten. Doch das Schönste war, dass diese Anschaffung die Kirchenkasse nicht belastet hatte.

Diese „Glaubensmethode" wandte ich auf allen

Missionsstationen an, egal wie arm die Bevölkerung war, da auch arme Menschen Gott Dank schulden und ihm ihren Dank ausdrücken wollen. Diese Lektion mussten und müssen gerade wir Ausländer lernen, da wir schnell von dem beeinflusst sind, was wir sehen. Wir möchten die armen Menschen beschenken, um ihnen zu helfen, doch das ist ein Fass ohne Boden. Vor allem ist diese Hilfe meist gar keine richtige Hilfe. Für diese Erkenntnis mussten wir Missionare Lehrgeld zahlen – gaben uns doch die Bedürftigen „Anschauungsunterricht“: Für die Dinge, die sie wirklich haben wollten, hatten sie genug Geld oder sie „machten“ welches, wie sie uns sagten.

So wollten wir beispielsweise einer armen Frau beim Bau ihrer Bambushütte behilflich sein und ihr Backsteine für den Fußboden schenken. Sie lehnte jedoch freundlich ab, sie brauche die Backsteine nicht. Sie sei mit ihrem Lehmfußboden zufrieden, sie wolle sich lediglich noch einen Papagei kaufen. Der sei zwar sehr teuer, aber sie werde das Geld schon zusammen bekommen. Bereits nach vierzehn Tagen hatte sie ihren Papagei.

Auf allen Missionsstationen führten wir ein, dass zum sonntäglichen Kirchenbesuch auch die Kollekte gehörte. Die Eltern, die das begriffen hatten, gaben auch ihren Kindern ein kleines Geldstück in die Hand. Einmal hatte eine Mutter ihrem Jungen das Höschen verkehrt herum angezogen, sodass die kleine Hosentasche nicht hinten, sondern vorne war. Damit der Kleine das Geldstück nicht die ganze Zeit in der Hand halten musste, hatte er es vorne in die Tasche gesteckt und immer wieder herausgeholt und angeschaut. Nach dem Gottesdienst wollte ich die Mutter liebevoll aufmerksam machen, dass sie das Höschen verkehrt herum angezogen habe. Doch sie antwortete mir: „Nein, ich habe sie extra so angezogen. Das Opfer muss immer vorne sein!"

Ich dachte, wenn mir im übertragenen Sinn das von Jesus für mich vollbrachte Opfer immer „vorne" vor meinen Augen stünde, würde es mir nicht schwer fallen, ihm meinen Dank und meine Liebe zu bezeugen. Was ist mir Jesus wert? Diese Frage sollte auch mich noch mehr bewegen.

Ein andermal war in einer Familie das siebte Kind geboren worden. Natürlich kam der neue Erdenbürger mit zum Gottesdienst. Als die Kollekte eingesammelt wurde, kam eines der Geschwister mit dem Neugeborenen auf dem Arm nach vorne. Sie hatten dem Säugling tatsächlich einen Geldschein auf den Bauch gebunden. Die Begründung lautete: „Der konnte noch nichts verdienen, da haben wir ihm den saubersten Geldschein, den wir hatten, auf den Bauch gebunden. (In Brasilien gibt es unter anderem sehr schmutzige Geldscheine!)

Einer unserer Glaubensbrüder wollte nicht zum Gottesdienst kommen, weil er kein Geld für die Kollekte hatte. Seine Frau ermutigte ihn, doch noch einmal zum Fluss zu gehen und die Angel auszuwerfen. Vielleicht würde ja ein Fisch anbeißen! Und genau so geschah es, und er konnte den Fisch sofort überglücklich verkaufen. Strahlend erzählte er mir im Gottesdienst die Geschichte von seinem „Kollektenfisch", die der Grund seiner Freude war.

Was ist mir Jesus wert? Diese Frage beschäftigt mich immer wieder in meinem Leben und ich könnte noch viele Beispiele anführen, die deutlich machen, dass es beim Opfern immer um den Wert geht, den ich einer Sache zumesse.

Was ist mir Jesus wert? Er hat sich ganz für mich hingegeben, darum gehört ihm auch mein ganzes

Leben, mit allem, was ich bin und mein Eigen nenne, auch mein Geld.

Engeldienste
Kann ein Engel auch Autos reparieren?

Mit dem Jeep durch dick und dünn.

Es war ein sehr heißer Dienstag. Alle im Ort wussten, dass ich an diesem Tag in die Stadt fuhr. Es waren neue Medikamentenbestellungen fällig, Rechnungen mussten bezahlt und allerlei Einkäufe erledigt werden. Es hatte sich herumgesprochen, dass die Schwester manches billiger bekam, darum erhielt ich kurz vorher immer viele Bestellungen. Da sollte ein Huhn auf einem bestimmten Gehöft abgegeben werden, jemand brauchte einen bestimmten Draht für einen Zaun oder Dünger und Kalk für den Garten. Und auf keinen Fall durfte ich das Rattengift vergessen! Ein anderer brauchte ein Paar billige Schuhe. Wenn man die Größe nicht wusste, bekam ich ein Stück Band mit, das die Größe angab. Man muss sich nur zu helfen wissen! Hinzu kamen allerlei Lebensmittel wie Zucker, Mehl, Reis oder Salz und noch vieles mehr. Nicht selten wollte auch noch jemand mitfahren, denn nach der Auffassung der Brasilianer hatte der Wagen eines Missionars ein Mutterherz: Es hatte immer noch einer Platz! Am Ende war mein Wagen immer brechend voll geladen, und ich konnte nur Gott vertrauen, dass die Erdstraßen nicht so viele Löcher hatten und ich auch mit allem Hab und Gut wohlbehalten daheim ankommen würde.

Es hatte immer noch einer Platz.
Eine meiner vielen Erdstraßen.

Diesmal hatte ich einen besonderen Auftrag, denn heute war der letzte Tag, an dem die Lichtrechnungen auf der Bank bezahlt werden konnten. Um das Fahrgeld für den Bus zu sparen, brachten mir die Leute ihre Rechnungen – fast dreißig an der Zahl. Die Bank schloss um 15.00 Uhr, wer bis dahin nicht bezahlt hatte, musste eine Strafe zahlen.

Ich machte mich nach dem Mittagessen mit meiner derzeitigen diakonischen Helferin zeitig auf den Weg. Normalerweise brauchten wir für die fast 30 km lange Erdstraße eine halbe Stunde. Diesmal jedoch nicht! Als wir ungefähr drei km gefahren waren, blieben wir in einem mit viel Sand gefüllten Loch stecken. Was sollten wir tun? Es war klar, dass wir beide den Wagen allein weder vor noch zurück bewegen konnten. Doch woher sollten wir Hilfe bekommen? In dem einzigen naheliegenden Gehöft trafen wir nur eine alte Frau, ihre Schwiegertochter und viele Kinder an, da alle anderen zur Arbeit auf dem Feld waren.

Es wurde immer heißer. Weit und breit war kein Mensch zu sehen, und die Zeit eilte voran. In meinem Herzen flehte ich Gott um Hilfe an. Würden wir die Bank noch geöffnet finden?

Da! In weiter Ferne hörte ich das Geräusch eines Wagens, der näher und näher kam und schließlich bei uns hielt. Darin saß der einzige Mechaniker, der in unserer Gegend bekannt war. Er war auf dem Weg zu seiner Schwester gewesen, um ihr ausnahmsweise zu dieser Zeit etwas Milch vorbei zu bringen.

Als Fachmann entdeckte er rasch den Schaden: Der Bautenzug zum Gaspedal war gerissen. Was nun? Er nahm eine Zange aus meiner Werkzeugtasche und ging so lange am Zaun einer Viehweide entlang, bis er den richtigen Draht für die Reparatur gefunden hatte. „So“, sagte er, nachdem er den Schaden behoben hatte, „jetzt brauchen Sie deswegen nicht mehr in die Autowerkstatt.“ Beim Verabschieden sagte ich zu ihm: „Manuel, du warst uns ein Engel!“

Er war unser Engel im Alltagsgewand gewesen – ohne Flügel. Ja, Engel können auch Autos reparieren und noch vieles mehr. Wie oft durfte ich das erleben.

Noch zehn Minuten bis 15.00 Uhr. Es war klar, dass wir die Bank nicht rechtzeitig erreichen würden. *Oder sollte Gott noch einen Engel für uns bereithalten*?

Ja, er tat es! Die Türen der Bank waren bereits alle verschlossen, als wir ankamen, aber ein Wächter bemerkte uns und fragte durch den Türspalt, was wir wollten. Nachdem ich ihm mein Anliegen gesagt hatte, ließ er mich durch einen Spalt noch herein, und obwohl die Beamtin die Kasse bereits geschlossen hatte, fertigte sie mich mit meinem Packen an Rechnungen doch noch freundlich ab.

Wir kamen mit einem Herzen voller Dank für das wunderbare Eingreifen Gottes wieder gut zu Hause an – und die Menschen freuten sich, dass sie keine Strafe würden zahlen müssen.

Engel haben auch keinen acht Stundentag, oder einen freien Sonntag. Sie sind Tag and Nacht bereit, zu helfen. Sie sind echte Boten Gottes.

Das hatte ich auch an jenem Sonntag erlebt, an dem ich mit dem Nachtbus von Querencia nach Curitiba fahren musste. Es war ein Tag mit Bilderbuchwetter, ein herrlich blauer Himmel mit weißen Wolkengebilden und lauer Luft. Das war wohltuend nach den langen Regentagen.

Gut, dass ich mich mit dem Jeep rechtzeitig auf den Weg nach Querencia begeben hatte. Und es war auch gut, dass der Jeep Allradantrieb hatte, so konnte ich einen Wagen, der im Schlamm steckengeblieben war, ein ganzes Stück ziehen, bis dieser wieder mühelos weiterfahren konnte. Doch was war das? Plötzlich stand mein Wagen still. Benzin war genügend vorhanden, Aber der Ölstand hätte etwas besser sein können. Doch wo sollte ich auf der einsamen Wegstrecke Öl für den Wagen bekommen? Es kam aber auch kein Wagen entgegen, den ich hätte anhalten können! Da erinnerte mich Gott an ein Gehöft, das ungefähr 2 km entfernt lag. So ließ ich den Wagen stehen und lief zu dem Gehöft. Die Leute kannten mich und gaben mir gerne eine Flasche Öl. Doch der Wagen wollte sich einfach nicht in Bewegung setzen. Ein Blick auf die Uhr sagte mir, dass ich den Bus nicht mehr erreichen würde und somit auch die Fahrkarte ihren Wert verlor.

Was hatte ich doch heute Morgen den Kindern in der Sonntagsschule für einen Bibelvers gesagt? *Fürchtet euch nicht, stehet fest und sehet zu, was für ein Heil der Herr heute an euch tun wird* (2. Mose 14,14). Jetzt hatte ich eine Glaubenslektion zu lernen. Ich hatte den Herrn im Gebet an sein Wort erinnert und mich daran geklammert. Sein Heute reicht auch über 24 Stunden hinaus!

Da, plötzlich sah ich in der Ferne einen Wagen entgegenkommen, der Einzige während der ganzen Wartezeit! Der Autofahrer war mir gut bekannt. Er fuhr mich zurück nach Porto Brasilio. Den Jeep überließ ich betend Gott. Der Abendgottesdienst war gerade zu Ende und das Erstaunen groß, dass ich ohne Jeep wieder da war! Missionar Kahl fuhr dann mit mir zu einem Mann, der schon öfter einmal Autos repariert hatte, aber meistens betrunken war. Doch diesmal war er nüchtern und kam sogleich mit. Er entdeckte den Schaden schnell. Eine Düse war verstopft. Das konnte gut beim Abschleppen durch den Schlamm geschehen sein. Er blies die Düse durch und mein Jeep war wieder fahrtüchtig! *Engeldienste mitten in der Nacht!*

Doch die Nacht hatte es noch in sich! Ich lag kaum, da hörte ich Schritte vor meiner Haustür. Eine klägliche Stimme sagte: „Schwester Ilse, ich glaube, ich habe das Nachtessen nicht vertragen, ich habe ja solche Koliken!“ War das nicht die Stimme von Märta? Ja, sie war es. Märta stand in drei Wochen auf meinem Terminkalender zur Geburt ihres zweiten Kindes. Als ich sie untersucht hatte, konnte ich ihr sagen, dass sie gleich dableiben könne, denn das Kind würde in einer halben Stunde geboren. So war es dann auch. Ihr Mann hatte gewartet.

Mein Herz war dankbar bewegt gegen Gottes große Treue, die er so sichtbar bewiesen hatte. So sah also das Heil aus, das ich „heute“ erfahren sollte. Doch das Heute hatte einen langen Atem. Ich konnte am nächsten Tag noch alle Wäsche waschen und auch Märta mit ihrem Baby im Arm und allem, was eine frischentbundene Frau zur Stärkung brauchte, gut nach Hause fahren. Gemeinsam dankten wir Gott für seine gnädige Fügung. Dann begab ich mich wieder auf die Fahrt nach Querencia. Dort warteten die nächsten Engel auf mich! Als ich zum Fahrkartenschalter kam, sagte die freundliche Frau zu mir: „Wir wussten, dass Sie irgendwie verhindert gewesen sein mussten, sonst wären Sie pünktlich hier gewesen. Der Busfahrer, dem Sie auch gut bekannt waren, hatte noch eine Viertelstunde gewartet. Doch dann hatten wir die Fahrkarte für heute umgebucht, und gespannt nach Ihnen Ausschau gehalten.“

Ich beschenkte sie noch mit einigen Evangeliumsschriften und ließ sie an meinem Gotterleben teilhaben. Die Freude war groß!

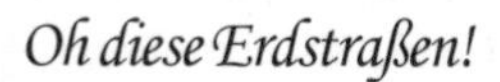

Oh diese Erdstraßen!

Ich könnte allein ein ganzes Buch mit Erlebnissen auf den Landstraßen füllen. Oh diese Erdstraßen! Ich kenne sie nicht etwa nur aus Bilderbüchern oder vom Hörensagen, sondern sie gehörten zu meinem Missionsalltag, sei es am Tag oder in der Nacht.

Bald waren sie romantisch und schön, dann wieder gruselig und gefährlich. Mal steckte ich tief im Schlamm, dann nahm mir wieder der Staub oder der tropenartige Regen jegliche Sicht. Doch alle Erlebnisse auf den Straßen waren davon gekennzeichnet, dass entweder ich Hilfe von anderen bekam, oder ich ihnen mit meinem Vierradantrieb-Jeep Hilfe leisten konnte. Jeder brauchte jeden!

Außer der Werkzeugtasche gab es noch viele andere Dinge in meinem Wagen: einen kleinen Balken, den man zum Unterlegen und Abstützen der Räder brauchte; ein Buschmesser, um Geäst und Zweige zu entfernen; ein Gefäß mit Wasser und einen Lappen, und auf keinen Fall durfte die Hacke fehlen. Was ich nicht brauchte, hatte bestimmt ein anderer nötig, dem ich begegnete. Es war so kostbar, insbesondere auf einsamen Wegstrecken, wenn man Nachbarschaftshilfe erfahren durfte. Manchmal kam es sogar vor, dass neben mir auf dem Asphalt plötzlich ein Omnibus bremste, weil der mir bekannte Fahrer meine Panne bemerkt hatte.

So sieht es aus, wenn plötzlich ein wolkenbruchartiger Regen einsetzt.

Wenn ich mal in einer Werkstatt war, passte ich immer genau auf, wie der Mechaniker die Reparatur vornahm. Ich lebte ja weit weg von Autowerkstätten und musste manches selber reparieren, oder konnte auch anderen behilflich sein, oder sie mir.

Viele Jahre fuhr ich einen Jeep oder einen anderen geländegängigen Wagen. In meinen letzten Jahren in Brasilien beschloss die Missionsleitung, mir einen komfortableren Wagen zu geben. Ich bekam einen VW Käfer! Der war zwar komfortabler, aber er sorgte auch für viele ungesuchte Abenteuer.

Gut, dass ich die Hacke dabeihatte.

In all den Jahren durfte ich immer wieder Gottes bewahrende Hand erleben, und bis heute erfüllen mich die vielen Erlebnisse mit großer Dankbarkeit.

Irgendwie ging es immer weiter, mal rechts, dann wieder links um die Löcher herum.

Retorno

Straßenschild Retorno.

In Brasilien gibt es ein Straßenschild, das es in Deutschland nicht gibt. Man kann es auf allen Fernstraßen entdecken. Wenn man zum Beispiel schon bald auf der Reise merkt, dass man die Autopapiere zu Hause auf dem Tisch liegen gelassen hat, dann ist es sehr gut, dass es das Schild „Retorno“ gibt. Retorno bedeutet „Zurück“. Auf den Schildern kann man lesen: Retorno 200, 300 oder 400 m. *Wie gut, ich kann umkehren!*

Das Straßenschild wurde mir zu einem einprägsamen Vergleich für mein Leben, denn auch ich darf umkehren. Allerdings ist das Umkehren im Leben oft mit Scham und unguten Gedanken verbunden. Eine Umkehr auf der Landstraße kann mitunter schnell geschehen, aber wie sieht es in meinem Leben aus? *Muss denn immer ich den ersten Schritt tun*? Ja, denn Gott wartet darauf. Oft musste ich den Weg der Demut gehen, dessen Beschreiten manches Mal lange Zeit in Anspruch nahm. Am besten und heilsamsten war es immer, wenn ich sofort „umkehrte“.

Ein Beispiel aus dem Leben auf meiner letzten Missionsstation steht mir vor Augen. Ich hatte vorüberehend eine zweite Schwester zur Seite. Wir hatten eine segensreiche Zeit, an die ich gerne zurückdenke. Doch was machte diese Zeit so einprägsam und schön? Wir hatten viele gemeinsame Gotteserlebnisse und wir übten uns darin, uns immer wieder neu schnell zu vergeben und unseren Ärger und unsere Verletzung nicht erst mit uns herumzutragen. Dann konnten wir mit noch größerem Genuss den wunderschönen Sonnenuntergang über dem Paranafluss in uns aufnehmen und hatten die Gewissheit: Die Sonne geht ohne unseren Zorn im Herzen unter. Wir hatten „Retorno" praktiziert und diese Erfahrung schweißte uns im Miteinander wie Kitt zusammen.

Und noch etwas lehrte mich das Schild „Retorno": der Weg zum Himmel ist mit vielen solcher Schilder versehen. Ich darf immer wieder umkehren und heimkommen zu Gott durch Jesus Christus, der mir den Weg zum Vaterherzen Gottes freigemacht hat. Ein Ausspruch lautet: *„Die große Schuld des Menschen sind nicht die Sünden, die er begeht. Die große Schuld des Menschen ist, dass er jederzeit umkehren kann und es nicht tut."*

Eine glückliche Mutter mit ihrem 15. Kind im Arm.

Es hat mich immer sehr erschüttert, wenn ich davon erfuhr, dass eine Mutter ungewollt ihr Neugeborenes im Schlaf erdrückt hatte. Weil die gesamte Familie auf einem Bett lag, konnte so etwas leicht passieren. *Wie könnte ich da Abhilfe schaffen*? Nach einigem Überlegen hatte ich eine Idee. Ich gab den Müttern, die ich entbunden hatte, einen leeren Wäschekarton, den ich ihnen als Säuglingsbettchen einrichtete, mit nach Hause. Doch was musste ich erleben, als ich sie nach einiger Zeit wieder besuchte? Voller Stolz zeigte mir eine Mutter, dass ihr Kind immer noch in dem Bettchen schlief. Das Kind sei nur etwas gewachsen, aber dafür hätte sie eine Lösung gefunden. Die Mutter hatte auf der unteren Seite des Kartons ein paar Löcher gemacht, damit die Beinchen des Babys herauswachsen konnten! *So wissen sich auch arme Leute zu helfen.*

Was plätschert denn da von dem Baum herunter, es regnet doch gar nicht?, so dachte ich, als ich eine Ölbüchse entdeckte, die in dem Baum hing. Was war geschehen?

Einer unserer Nachbarn hatte sich eine „Dusche" angelegt, indem er Wasser mit einem Schlauch in die Büchse leitete. Doch woher hatte er das Wasser? Es gab doch in unserem Ort noch keine Wasserleitungen. Mit einem Eimer hatte er sich Wasser vom Fluss geholt, den Schlauch fest an den Eimer gebunden, diesen auf ein höher gelegenes Brett gestellt, und schon hatte er eine Dusche. Dazu organisierte er sich noch ein Paar Plastiksäcke – die Duschkabine unter freiem Himmel war fertig. So manches Mal konnte ich mich nur wundern und über die Einfälle der Leute staunen. *Es ist wahr: Der Mensch muss sich nur zu helfen wissen.*

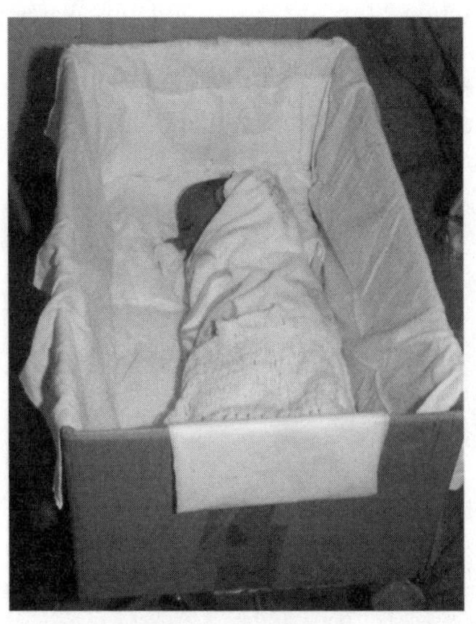

Ein Wäschekarton wird zum Säuglingsbettchen.

Einmal war ich bei einer Familie in ihrer Hütte zu Besuch, die sich offenbar sehr über meinen Besuch freute. Sie hatten eine Ziege geschlachtet, und mein Begleiter und ich sollten nun eine Kostprobe bekommen. Die Hausfrau hatte sich ein besticktes Tuch umgebunden, auf dem stand: *Ein aufgewecktes Frauchen kommt nie in Verlegenheit.* Dass diese Beschreibung auf unsere Hausfrau zutraf, sollten wir schnell erfahren. Sie nahm die umgebundene „Schürze“ und wischte damit die Teller und Tassen aus, dann putzte sie sich damit die Nase und jagte anschließend damit die Hühner, Katzen und Hunde aus dem Raum. Dann kam wieder die Nase und das Gesicht an die Reihe, und auch dem vorbeilaufenden Kind wurde noch schnell die Nase geputzt. Zum guten Schluss lag die Schürze wieder als Tischdecke vor uns auf dem Tisch, auf dem das Ziegenfleisch mit langen Haaren schon zum Verzehren auf uns wartete. Nach dem Essen durften sich alle den Mund am „Tischtuch" abwischen. Ein dicker schwarzer, aber zuckersüßer Kaffee sollte anschließend für eine gute Verdauung sorgen.

Was wird wohl aus diesem Kindlein werden?
Noch ist es zufrieden „in seiner Welt“.

Auch das gehörte zum Hineinfinden in eine andere Kultur. Ich gewann die Menschen, denen ich dienen wollte, mehr und mehr lieb, und das sollten sie spüren. Ja, sie kommen wirklich nicht so schnell in Verlegenheit.

Wir saßen damals noch lange bei der Familie auf einem Baumstamm, da es keine Stühle gab. Durch ihre Erzählungen bekamen wir einen guten Einblick in die Familienverhältnisse, und ich wurde immer mehr mit den Gepflogenheiten des Volkes, dem ich dienen wollte und durfte, vertraut. Es war ein sehr lehrreicher Abend, aber schließlich wollten wir aufbrechen. Doch sie beschwichtigten uns immer wieder mit den Worten: „Es ist noch früh, warum wollt ihr denn schon gehen?" Es begann zu regnen. Wir schoben unseren Baumstamm auf dem Lehmfußboden von einem Fleck zum anderen, weil es von oben tröpfelte. Bei der Verabschiedung bemerkte ich einige Bretter, die an der Hüttenwand lehnten. Ich machte den Hausherren freundlich darauf aufmerksam und sagte: „Ach, hier stehen ja noch ein paar Bretter. Ob Sie diese nicht benützen könnten, die Löcher auf dem Dach zu schließen? Dann würde es nicht mehr tröpfeln." Er antwortete ebenso freundlich, legte mir die Hand auf die Schulter und sagte: „Weißt Du, das tröpfelt nur, wenn es regnet. Sonst tröpfelt es bei uns nicht." Nun wusste ich es.

Gelegentlich bekam ich auch etwas von den Menschen geschenkt, das sie dann aus ihrer Hosentasche holten: ein Stück Katzenfleisch oder etwas vom selbst erlegten Gürteltier, ein Stück Wildschwein oder ein Hühnerbein, ein Stückchen selbstgebackenes Brot, einen gerösteten Maiskolben und dergleichen mehr. Sie wollten mich damit erfreuen, und ich habe diese Freude dankbar registriert, auch wenn ich manches wieder weiterverschenkte, denn auch ich hatte nur einen Magen, und der musste schon manches Undefinierbare annehmen. Wenn ich dann bei der nächsten Tropentauglichkeitsuntersuchung in Tübingen nicht den Bauch voller Würmer hatte, war mir das ein Grund, dem Herrn von Herzen zu danken.

Ungeziefer

Manchmal wurde ich gefragt: „Sag mal, hast du keine Angst vor Schlangen gehabt?" Doch, ich hatte und habe Angst vor Schlangen, doch die Begegnung mit ihnen hielten sich zum Glück in Grenzen. Durch den abgeholzten Wald verirrte sich wohl ab und an mal eine auf unser Grundstück und versetzte uns in Schrecken, aber es gab irgendwie immer die Möglichkeit, mir schnell Hilfe zu verschaffen, wofür ich sehr dankbar war. Dagegen hatte ich immer wieder Patienten mit einem Schlangenbiss zu behandeln. Es sah jedoch so aus, als seien sie jeweils nicht das erste Opfer der Schlange gewesen, so dass ich ihnen helfen konnte. Im Allgemeinen ist die Giftdosis beim ersten Biss am konzentriertesten. Auch Skorpionen und vielen Spinnen mussten wir zu Leibe rücken, aber wir durften dabei immer wieder Gottes wunderbare Bewahrung erleben.

An „Kleinvieh" hatten wir großen Reichtum: jede Menge Kakerlaken, braune, grüne schwarze, kleine und große, mit und ohne Flügel. Ab und an war da eine Razzia notwendig. Auch die verschiedensten Ameisen, Stechmücken und Moskitos hielten uns Tag und Nacht auf Trab, insbesondere in den ganz heißen Monaten. Wer in dieser Zeit zu uns in den Gottesdienst kam, musste annehmen, er sei unter Geisteskranke geraten: Andauernd hörte man lautes Klatschen, und die Leute schlugen scheinbar unkontrolliert mal zur rechten, mal zur linken Seite.

Vor den Ameisen konnten wir uns schier nicht retten. Mal waren es die Wanderameisen, die in Scharen ganz plötzlich da waren, aber auch ebenso schnell wieder verschwanden. Dann gab es noch die kleinen Zuckerameisen, die vor keiner Speise Halt machten und selbst bis in den Kühlschrank wanderten. Dadurch gelangte so manche Ameise unbemerkt mit in meinen Mund und wurde gut verdaut.

Eine andere Ameisenart sind die sogenannten Schlepper. Diese konnten in einer einzigen Nacht stillschweigend einen ganzen Blütenbaum abtragen. Ich machte Bekanntschaft mit ihnen, als ich mir einmal einen Blumenkohl aus der 100 km entfernten Stadt mitgebracht hatte. Ich wollte ihn mir am Sonntag traditionell nach deutscher Art zubereiten und freute mich schon die ganze Woche darauf. Doch wo war er denn hin? Er war spurlos verschwunden und nur ein paar kleine Blättchen waren als Spur zurückgeblieben. Schade.

Zu unseren „Haustieren" gehörten auch die kleinen Frösche, die in jedem Raum lebten, aber ungefährlich waren. Es war nur unangenehm kalt, wenn sie einen plötzlich ansprangen. Wir fanden es nur etwas eigenartig, dass sie am Abend wieder an derselben Stelle saßen, von der wir sie am Morgen vertrieben hatten, so dass wir sie schließlich als Haustiere akzeptierten. Genauso verhielt es sich mit den kleinen Spinnen, die uns von manchen Insekten befreiten. Als letztes darf ich nicht die Flöhe vergessen, die unsere ständigen Begleiter waren, insbesondere wenn Hunde in der Nähe waren.

Oft musste ich an das denken, was jene Missionarin während meiner Kindheit mir von ihrem entsagungsvollen Dienst mit dem vielen Ungeziefer erzählt hatte und dass ich dem Herrn Jesus damals zum ersten Mal ein Ja für solch einen Dienst gegeben hatte. Nun durfte ich selbst erleben, was die Liebe zu Jesus vermochte, und mein Ja zu seinem Weg gehörte weiter meinem Gott.

Unterricht

Obwohl es in Brasilien seit einigen Jahren die Schulpflicht gab, kam es doch immer wieder vor, dass die Eltern ihr Kind nicht zur Schule schickten, sondern zu Hause behielten. An Ausreden für solche „Drückeberger" fehlte es nie:

Die Leute hatten kein Geld für die Schuluniform (die ebenfalls Pflicht war), oder der Weg war zu weit, oder die größeren Kinder sollten auf die Kleinen aufpassen oder mussten mit auf das Feld zum Arbeiten, oder, oder, oder. Manchmal begründeten die Eltern das Fernbleiben ihrer Kinder auch mit der Aussage: „Wir sind auch nicht zur Schule gegangen und sind nicht dumm geblieben." Ein anderes Mal behielten die Eltern ihre Kinder nach wenigen Monaten wieder zu Hause, mit der Begründung: „Sie können doch schon das Alphabet."

Der Staat bot viele Vergünstigungen an. Omnibusse wurden für den Schülertransport eingesetzt, Schulmaterial wurde kostenlos verteilt und vieles mehr.

Doch was war mit den Hausaufgaben? Wer kontrollierte sie, und wer machte den Kindern Mut zum Lernen? Die Eltern konnten es nicht, so dass als Folge davon viele Kinder das erste Jahr in der Schule drei bis vier Mal wiederholen mussten. Andere sprangen einfach ab.

Um diese Entwicklung zu steuern, begannen wir Missionare mit dem Alphabetisierungsunterricht für Erwachsene. Das war keine leichte Aufgabe. Wer immer nur mit Hacke, Spaten und Buschmesser Umgang hatte und jetzt plötzlich einen Bleistift in der Hand halten und führen sollte, brauchte viel Geduld – und wir Lehrer mit. Wenn unsere Schüler dann tatsächlich das erste erkennbare „a" oder „o" zustande gebracht hatten und sie die beiden dann auch noch voneinander unterscheiden konnten, war die Freude groß.

Es gab aber auch sonst manches zum Schmunzeln. Natürlich legten wir Wert auf Sauberkeit und Ordnung. Senior Ernesto sah immer zum Fürchten aus, wie ein richtiger Struwwelpeter um den Kopf herum. Was war nur passiert, dass er jetzt so glatt gekämmt vor mir saß? Ich lobte ihn sehr, aber er lachte und sagte: „Ich besitze keinen Kamm, aber ich hatte gerade einen Sack Bohnen auf dem Kopf getragen, da haben sich meine Haare gelegt." Es war klar, dass Senior Ernesto einen Kamm geschenkt bekam. Andere bekamen ebenfalls einen Kamm oder ein Stück Seife.

Wir erteilten jedoch nicht nur Alphabetisierungsunterricht. Die jungen Mädchen und Frauen erhielten zum Beispiel Unterricht im Nähen und Flicken. Auch hierbei mussten wir feststellen, dass viele von ihnen noch nie eine Nadel in der Hand gehabt hatten, sondern Löcher in der Kleidung einfach mit einer Sicherheitsnadel zusammensteckten. Wenn das Wäschestück noch mehr Löcher bekam, wurde es weggeworfen. Andere Frauen waren aber sehr geschickt mit der Nadel und hatten, jede auf ihre Weise, schon sehr schöne Sachen genäht. Die jungen Mädchen konnte ich sogar zum Sticken animieren. Ich war sehr erstaunt über das, was sie nach der kurzen Zeit zu Wege brachten.

Einige Male hatte ich auch einen Zuschneidekursus angeboten, den wir immer mit einer kurzen Andacht begannen. Einer Teilnehmerin verbot der Vater jedoch die Teilnahme, da er sie von jedem christlichen Einfluss fernhalten wollte. Er schickte sie zu seinen Angehörigen nach Sao Paulo. Darüber vergingen neun Jahre. Während dieser Zeit brauchte der Vater des öfteren eine Entgiftungstherapie. Der Alkohol hatte seine Leber ruiniert, und ich sollte ihn behandeln. Dabei kam es zu manch hilfreichem Gespräch, so dass der Vater schließlich der Rückkehr seiner Tochter zustimmte und ihr die Erlaubnis zur Teilnahme am Unterricht gab. So kam es, dass seine Tochter Maria nicht nur das Zuschneiden und Nähen lernte, sondern auch eine Entscheidung für Jesus Christus traf. Inzwischen ist sie verheiratet und zwei ihrer vier Kinder durfte ich mit auf die Welt holen. Da ihr Mann als Fischer nur einen kärglichen Verdienst hatte, konnte Maria aufgrund ihrer Fertigkeiten zum Unterhalt der Familie beitragen. Sehr schnell sprach es sich bei den Leuten herum, dass sie gut zuschneiden und nähen konnte, so dass sie sich nie über zu wenig Arbeit beklagen musste.

Ein andermal bat mich der Bürgermeister der Kreisstadt, einen Hygienekurs zu halten. Das war nun wieder etwas ganz Neues für mich. Alle Abfalleimer sollten einen Deckel bekommen, um der Fliegenwelt den Kampf anzusagen. Ich hatte die weniger schöne Aufgabe zu kontrollieren, ob diese Anordnung auch durchgeführt wurde.

Außerdem sollten Löcher für ein sogenanntes Plumpsklo ausgegraben werden, die jedoch genau nach Vorschrift genügend Abstand zum Brunnen haben mussten. Wieder eine neue Sache, die kontrolliert werden musste. Dabei erlebten wir in einem Ort etwas Drolliges: Ein Familienvater hatte einen bombenartigen Trichter gegraben. Aus ein paar übrig gebliebenen Brettern errichtete er ein „Häuschen" und verkündete laut am nächsten Sonntag vor dem Gottesdienst: „Es ist bereits eingeweiht!" Nach ungefähr vierzehn Tagen zog die Familie mit ihren sieben Kindern an einen anderen Ort, aber das Plumpsklo nahmen sie selbstverständlich auf einem Pferdewagen mit.

Andere benutzten das neuerrichtete Plumpsklo, um ihren geernteten Mais darin zu stapeln. Was den eigentlichen Zweck des Klos betraf, so zogen sie es vor, weiter in Gottes freie Natur zu gehen. Genau das sollte jedoch unterbunden werden, um der Infektion durch Würmer vorzubeugen.

Im Hygieneunterricht wiesen wir die Leute auch darauf hin, dass Fingernägel regelmäßig kurz geschnitten werden mussten, da sich sonst Mikroben im Schmutz unter den Nägeln einnisten konnten. Das war auch ein Akt für sich! Die meisten Familien hatten keine Schere, sondern lediglich ein Buschmesser. Es kam mehr als einmal vor, dass der Familienvater bei einem Hausbesuch von mir schnell das große Buschmesser zur Hand nahm, das Kind zwischen die Beine klemmte und ihm mit dem Messer die Nägel schnitt. Ich sollte doch unbedingt sehen, dass er wirklich die Anordnung befolge. Meine Bewunderung galt jedoch dem Kind, das den Vater ganz still und ergeben sein Werk verrichten ließ. Ich hatte meistens eine Nagelschere (kein Buschmesser) bei mir, um den

Kindern bei Bedarf die Nägel schneiden zu können.

Auch sonst gab es noch manch andere Anordnung. So wurden zum Beispiel die Moskitos bekämpft, indem die Häuser auf dem Festland und den Inseln regelmäßig mit einem dafür bestimmten Gift bespritzt wurden.

In vielerlei Hinsicht konnten wir feststellen, dass das Motto auf der Landesfahne bis ins Landesinnere hinein immer mehr Gestalt annahm: *Ordem E Progresso – Ordnung und Fortschritt.*

Hilfe zur Selbsthilfe

Waschtag, noch dient der Stacheldraht als Wäscheklammern.

In unserer Gemeinde waren einige Brüder, die als Fischer arbeiteten. Sie waren immer auf einen guten Fang angewiesen, damit sie ihren Lebensunterhalt und den ihrer großen Familien bestreiten konnten. Manchmal machten sie einen guten Fang und konnten deshalb all ihre Rechnungen im kleinen Tante-Emma-Laden begleichen. Ein andermal sah es wieder sehr schlecht aus, und die unbezahlten Rechnungen wurden mehr und mehr. Wir versuchten ihnen zu helfen, so gut wir konnten, aber die Gelder, die wir dann und wann für solche Zwecke anvertraut bekamen, wollten nie reichen.

Eines Tages sagte unser damaliger Bürgermeister zu mir: „Missionarin, gebt den Leuten nicht nur Fische, sondern lehrt sie Fischen." Mit anderen Worten: Praktiziert Hilfe zur Selbsthilfe! Das wollten wir sehr gerne tun, aber es war in der Tat unheimlich schwer und erforderte viel Geduld. Dennoch fanden wir eine Möglichkeit.

Wir hatten zu dieser Zeit große Kleiderspenden aus verschiedenen Ländern bekommen. Wie sollten wir diese unter dem armen Volk verteilen? Zunächst verschenkten wir die Sachen. Doch bald mussten wir feststellen, dass dies keine gute und gangbare Vorgehensweise war, da es viel Eifersucht, Zank und Streit in der Gemeinde aufgrund der Kleider gab. Eine Frau hatte ein Kleid mit Spitze bekommen, bei der anderen war keine Spitze am Kleid. Einer wollte einen roten Pullover und hatte einen blauen bekommen. Eine andere hatte für jedes Kind ein Kleidchen bekommen, das sie nach ihrer Meinung nicht brauchte. Sie wollte lieber ein Ferkel haben, das sie großziehen konnte. Wieder ein anderer setzte seine Geschenke in Alkohol um. Was sollten wir tun?

Durch diese Erfahrungen hatten wir auch sehr viel gelernt. Wir begriffen, dass die Bedürfnisse und Geschmacksvorstellungen der Brasilianer völlig andere waren als die unseren, die wir in einer vollkommen anderen Kultur aufgewachsen waren.

Deshalb begannen wir, nach Absprache mit den Schenkenden, Kleiderbasare einzurichten, bei denen wir geschenkte Sachen für einen kleinen Betrag abgaben. Wie erstaunt waren wir, als wir die Wandlung der Leute wahrnahmen. Sie kamen und kauften nur das, was sie ihrer Meinung nach brauchten und was ihnen gefiel, und dafür begannen sie sogar zu arbeiten. Und welche Farbenvorstellungen sie hatten! Grün, Blau, Schwarz und Rosa, egal ob lang oder kurz, alles passte zusammen. Unser Basar sorgte auch für manche Gelegenheit zum Schmunzeln. Einmal sah ich eine Frau im Gottesdienst sitzen, die mein Nachthemd anhatte. Was ich abgelegt hatte, wurde für sie zum Sonntagskleid. In einem anderen Paket war ein rosarotes Bettjäckchen mit weiten Ärmeln, das ich zuerst gar nicht mit zum Basar geben wollte. Doch ich lag vollkommen falsch mit meiner Meinung, da dieses Jäckchen mit das Erste war, das ausgesucht und verkauft wurde.

Am Tag des Basars, den wir schon lange vorher bekannt gegeben hatten, kamen die Menschen von nah und fern, auch solche, die für ihre Tagelöhner einkaufen wollten. Mit dem eingenommenen Geld bestritten wir zunächst die Unkosten, da das Auslösen der Pakete teuer bezahlt werden musste. Wenn noch etwas übrig blieb, waren wir froh, mit dem Geld die Löcher im Bereich der Kirchenarbeit stopfen zu können. Unser Gemeinderaum war für die sonntäglichen Besucher längst zu klein geworden. Manchmal standen die Leute sogar vor dem Fenster, um der Botschaft des Evangeliums lauschen zu können. So konnten wir das Geld von den Basaren verwenden, um Material für einen neuen Kirchenbau zu kaufen.

Auch auf einem anderen Gebiet lernten wir, wie wichtig Hilfe zur Selbsthilfe war. Wir hatten uns auf unserem Grundstück einen Gemüsegarten angelegt, da es in unserer Gegend Gemüse so gut wie nicht zu kaufen gab. Unsere Nachbarn standen sehr interessiert am Gartenzaun und beobachteten uns bei unserer Gartenarbeit. Als schließlich die ersten Salatpflänzchen zu sehen waren, wollten sie auch welche haben. Natürlich gaben wir ihnen gerne welche. Doch schon kurz darauf kamen sie wieder, weil ihre Hühner alle Pflänzchen verspeist hatten. Auch die nächsten Pflänzchen fraßen die Hühner. Schließlich begriffen sie, dass sie ihr Beet einzäunen und abdecken mussten, um eines Tages in den Genuss ihres selbst gepflanzten Salates zu kommen. Damals war unser Gemüsegarten der einzige in der Gegend, heute kann man die vielen kleinen neuentstandenen Gärtchen nicht mehr zählen. Hilfe zur Selbsthilfe.

Nachbars haben sich einen eigenen Gemüsegarten angelegt.

Viele Bibeltexte nahmen für mich erst in meiner Zeit in Brasilien Gestalt an, so auch im Fall des praktischen Anschauungsunterrichtes. Dabei wurde mir der Text in Apostelgeschichte 6, in dem von der Wahl der sieben Diakone erzählt wird, ganz neu wichtig. Von diesen Diakonen wird berichtet, dass sie unter anderem voll Heiligen Geistes und Weisheit sein mussten. Es ist wahr: Um armen Menschen richtig zu dienen, braucht man viel Weisheit. Doch nicht nur ich war als eine Gebende unter ihnen, sondern auch als eine Lernende und Empfangende, denn auch sie beschenkten und bereicherten mein Leben.

„Mit Jesus kann ich nichts anfangen"

Das sagte mir ein freundlicher und nun schon betagter Mann bei einem Hausbesuch. Ich kannte ihn schon viele Jahre und war des öfteren bei ihm und seiner lieben Frau zu Besuch gewesen. Er hörte mir immer sehr interessiert zu, wenn ich ihm aus meinem Leben und von mancher Glaubenserfahrung in meinem Dienst erzählte. Doch dann kam immer der Satz: „Mit Jesus kann ich nichts anfangen", und das Gespräch war beendet. Wenn ich an ihn erinnert wurde, betete ich für ihn, aber es veränderte sich nichts.

Mit seiner Frau, die fest im Glauben an Jesus stand, pflegte ich weiter die Verbindung. Ihr war es ein Herzensanliegen, dass ihr lieber Mann doch mit ihr den Weg des Glaubens gehen möchte, und so betete, glaubte, hoffte und wartete sie treu jahrelang.

Inzwischen hatte ich meinen aktiven Dienst auf dem Missionsfeld beendet. Bei Besuchsreisen nach Brasilien durfte ich es aber immer wieder erleben, dass Jesus weiter an den Menschenherzen arbeitete. Er bleibt ein Meister im Anknüpfen, auch wenn es mitunter erscheint, als seien ihm die Fäden aus der Hand geglitten.

So kam es, dass ich bei einem Hausbesuch wieder mit dem Mann, der inzwischen 90 Jahre alt war, ins

Gespräch kam und er mich bat, doch wieder aus meinem Leben zu erzählen.

Und wieder kam nach einiger Zeit der Satz: Mit Jesus kann ich nichts anfangen. Doch dann hielt er plötzlich inne, und nach einer Weile fuhr er fort: „Wissen Sie, beim Rückblick auf mein Leben stehen manche Tage vor mir, die möchte ich am liebsten vergessen. Ich möchte sie ausstreichen, aber sie tauchen immer wieder auf." Jetzt war der Augenblick gekommen, in dem ich ihm ganz klar sagen konnte: „Sehen Sie, und genau dafür ist Jesus da. Er ist für unsere Schuld gestorben, hat die Strafe, die wir verdient hätten, auf sich genommen und uns den Weg zum Vaterherzen Gottes freigemacht. Er sagt in seinem Wort: *Ich bin der Weg und die Wahrheit und das Leben; niemand kommt zum Vater denn durch mich.* „Meinen Sie? Ich werde darüber nachdenken", war seine Antwort.

Wenige Tage später rief mich seine Frau an: „Schwester Ilse, ich muss Ihnen die große Freude mitteilen, dass mein lieber Mann ganz klar und bewusst Jesus in sein Leben aufgenommen hat. Er hat Vergebung seiner Schuld empfangen und möchte, dass ich ihm aus der Bibel vorlese."

Immer wieder hat er seiner Frau mit Bedauern gesagt: „Warum habe ich erst so spät erkannt, dass ich Jesus und seine Vergebung für mein Leben brauche? Ich kann nur immer wieder dafür danken, dass ich durch Jesus erlöst bin."

Gott schenkte ihnen noch zwei gemeinsame Jahre: Jahre geteilten Lebens und geteilter Nachfolge.

Knotenpunkte oder was der Bambus mich lehrte

Die Missionsstation, auf der ich die letzten 16 Jahren meiner Dienstzeit in Brasilien arbeitete, lag ganz nah am großen Paranafluss. An seinem Ufer standen unzählige Bambusstauden, die mir oft eine Predigt hielten. Sie waren mir ein unvergessliches Beispiel für mein Leben und für gesundes Wachstum.

1. Der Bambus wächst in einer wasserreichen Gegend. Oft findet man ihn am Flussufer oder anderen Plätzen, an welchen er das Wasser mit seinen Wurzeln von weit her holen kann.

2. Der Bambus liebt die Gemeinschaft, er ist eine Familienpflanze. Man sieht kaum einen Bambusstamm allein stehen. Auch wir brauchen uns einander.

3. Der Bambus strebt nach dem Licht. Gesundes Wachstum strebt immer dem Licht entgegen.

4. Sein Dung sind abgefallene Äste, faule Blätter, vergammelte Wurzeln und dergleichen mehr.

Über diesen 4. Punkt dachte ich viel nach und fragte mich selbst: Was mache ich mit den vielen bösen Worten, die mitunter täglich an meine Ohren dringen? Wie gehe ich mit Neid, Eifersucht oder Missgunst anderer oder der aus meinem eigenen Herzen um? Diese Dinge können mir zum Dung werden und somit zum Wachstum verhelfen, wenn ich sie im Gebet dem Herrn Jesus bringe, anstatt sie anderen vor die Füße zu werfen.

5. Das Besondere am Bambus sind seine Wachstumsknoten. Bei einem Wachstumsknoten verdichtet sich der Wachstumsprozess und es erfolgt verstärktes Wachstum. Die Abstände von Knoten zu Knoten sind nicht immer gleich, und auch die Zahl der Knoten ist von Stamm zu Stamm unterschiedlich. Ein ähnliches Verhalten kann man auf einem Kornfeld fest-

stellen. Auch dort gibt es Wachstumsknoten, die das Stehvermögen der Ähren stabilisieren, damit die Frucht getragen werden kann.

Wir befinden uns alle in einem Wachstumsprozess, das Alter spielt keine Rolle. Jeder, egal ob jung oder alt, krank oder gesund, ist auf Wachstum angelegt. Dabei geht es jedoch nicht um die Gewichtszunahme oder um Körpergröße, sondern um unser geistliches Wachstum.

Hierfür wurde mir das Leben Josephs (1. Mose 37-50) zu einem praktischen Beispiel. Er nannte seinen ersten Sohn Manasse, das heißt „Gott hat mich vergessen lassen". Sein zweiter Sohn wurde Ephraim genannt, was bedeutet „Gott hat mich wachsen lassen im Lande meines Elends".

In jungen Jahren hatte Joseph viel Zank und Streit im Geschwisterkreis erfahren müssen, bis dahin, dass er sogar von seinen Brüdern in eine Zisterne geworfen und als Sklave verkauft wurde. In Ägypten kam er auch noch unschuldigerweise ins Gefängnis und musste viel Leid ertragen. Doch wir können auch immer wieder lesen, dass Gott mit Joseph war und zu all seinem Tun das Gelingen schenkte. Nach seiner Freilassung erhielt Joseph sogar einen staatlichen Ehrenplatz am Hof des Pharaos. Seine Vergangenheit war nicht ausgelöscht, aber aufgearbeitet. Die Vergebung hatte in seinem Herzen triumphiert. Nach 20 Jahren kam es zu der Begegnung mit seinen Brüdern. In Kapitel 50, Vers 20 kann man die ergreifenden Worte Josephs an seine Brüder nachlesen: „Fürchtet euch nicht! Ihr gedachtet es böse mit mir zu machen, aber Gott gedachte es gut zu machen." Joseph hatte von Herzen Vergebung gewährt, so dass er auch von Herzen vergessen und Gott ihn im Lande seines Elends wachsen lassen konnte.

Das Beispiel von Joseph zeigt uns, dass wir an allem wachsen können. Ich kann Gott nur von Herzen für jeden Wachstumsknoten danken, den er in mein Leben hineingeordnet hat: für jede Glaubenskrise, für jede Wegführung, für alle erfahrene und gewährte Vergebung, die in echte Versöhnung mündete. Alle diese Erfahrungen waren für mein Wachstum notwendig, alle diese Dinge gehören zu meinem inneren Reifeprozess. Und solch ein Prozess braucht seine Zeit! Man kann ihn nicht abkürzen, es gibt keine Schleichwege, und viele Lektionen lernt man nicht einmal für immer, sondern man muss sie oft wiederholen. Dazu gehört zum Beispiel auch die tägliche Vergebung, sowohl die empfangene als auch die gewährte, damit gesundes Wachstum entstehen kann und unser Herz von bitteren Wurzeln entgiftet wird.

Dann können sich Wachstumsknoten verdichten und neues Wachstum kann entstehen, damit wir gute Frucht bringen und reif werden für die Ewigkeit.

Glaubensstärkung pur

Albert Schweitzer soll einmal gesagt haben, dass jemand, der an einem einsamen Platz lebe, viele Selbstgespräche mit seiner Seele führen müsse. Das kann ich nur dick unterstreichen.

Einsamkeit. Oh wie sehr litt ich auf mancher Durststrecke unter ihr. Oft war ich zwar von vielen Menschen umgeben, aber ich war dennoch einsam. Mir fehlte das „Du“, ein Gegenüber zum Austausch und Gespräch, jemand, der sich mit ähnlichen Dingen wie ich auseinander setzte.

In den Psalmen entdeckte ich schließlich solche

Selbstgespräche mit der Seele, die mir zu einer großen Hilfe wurden. David hatte in ihnen seine Seele ermuntert und zu ihr gesprochen: *„Lobe den Herrn, meine Seele, und was in mir ist, seinen heiligen Namen! Lobe den Herrn, meine Seele, und vergiss nicht, was er dir Gutes getan hat."* (Psalm 103,1f); *„Was betrübst du dich, meine Seele, und bist so unruhig in mir?"* (Psalm 42,6); *„Sei nun wieder zufrieden, meine Seele; denn der Herr tut dir Gutes."* (Psalm 116,7) und *„Sei nur stille zu Gott, meine Seele."* (Psalm 62,6).

Alle diese Gebetsworte, die ursprünglich aus dem Herzen des Königs David stammten, machte ich zu meinen eigenen Gebetsworten, und ich durfte erleben, wie sie mein Herz tief erquickten. Ich grub mich regelrecht im Glauben in Gottes Wort hinein und entdeckte dabei immer mehr Reichtum und Trost für meine Seele, so dass ich dadurch auch wieder anderen zum Segen werden durfte.

Gott wusste mein Herz auch noch auf eine andere Weise zu erreichen, nämlich durch die kostbaren Sendungen des Evangeliumsrundfunks. Damals waren es erst die Sendungen von Quito Ecuador und später dann wurden Sendungen im Mittel- und Kurzwellenbereich von Trans World Radio ausgestrahlt. So konnte ich morgens und abends Gottes Wort in deutscher und portugiesischer Sprache hören. Das war Balsam und Nahrung für meine ausgetrocknete Seele! Denn es ist wirklich wahr: Wer viel ausgibt, muss auch viel einnehmen. So zehrten sowohl ich als auch die Menschen um mich herum von den Sendungen des Evangeliumsrundfunks. Später wurden die Sendungen auch in portugiesisch am frühen Morgen um 4.00 Uhr im Kurzwellenbereich ausgestrahlt. Von dieser Möglichkeit machten viele mir bekannte Brasilianer Gebrauch. Viele kauften sich extra hierfür ein Radio oder baten mich, ihnen eines zu besorgen. Das Geld für das Radio hatten sie sich während der Baumwollernte zusammengespart. Bevor ich dann das Radio besorgte, schärften sie mir extra noch einmal ein, dass es ein Radio mit Kurzwellenempfang sein müsse! Nun hatten sie, bevor sie am Morgen mit Hacke und Spaten auf das Feld gingen, schon Nahrung für ihre Seele durch den ERF bekommen. In den Ruhepausen auf dem Feld erzählten sie dann den anderen Kollegen von der gehörten Botschaft. Und wenn sie abends vom Feld nach Hause kamen, wurde ich auch gleich gefragt: „Haben Sie heute auch das Evangelium über Trans World Radio gehört?" Das Erlebnis, dass auf diese Weise kostbares Saatgut in unser aller Herz kam, war mir eine große Freude und ist mir bis heute für mein Leben eine „Glaubensstärkung pur".

Die Zeit bleibt nicht stehen

Insbesondere auf meiner letzten Missionsstation änderten sich auf rasante Weise viele Dinge.

Unsere Station lag nah am großen Paranafluss, der annähernd 300 Inseln hat, die mitunter dicht bevölkert waren. Auf einem Missionsboot legten insbesondere Missionar Martin Kahl und ein Team jeden Monat eine Strecke von 150 Kilometern zurück, um die Menschen auf den Inseln mit Gottes Wort, Lebensmitteln, Kleidungsstücken und Medikamenten zu versorgen. Einige Male konnte ich auch bei diesem anstrengenden, doch lohnenden Dienst dabei sein. Oft geriet das Team in große und lebensbedrohliche Unwetter mit hohem Wellengang. Niemals hätte ich vorher gedacht, dass es auf einem Fluss zu so hohen Wellen kommen könnte, genauso wie Ebbe und Flut. Das war mir auch neu. Jedes Jahr gab es große Überschwemmungen, und alle Inselbewohner mussten auf das Festland evakuiert werden. Wenn das Wasser wieder gesunken war, kehrten sie in ihre alten, dürftigen Behausungen zurück, sofern diese noch vorhanden waren. Andere blieben gleich auf dem Festland. Angesichts der wiederkehrenden Überschwemmungskatastrophen beschloss der Staat schließlich, dass die Inseln geräumt werden sollten. Jedem Inselbewohner wurde ein Stück Land auf dem Festland angeboten, doch vielen fiel das Loslassen von Grund und Boden sehr schwer, so dass sie bis zuletzt blieben. Auch für uns war das damit einhergehende Ende der Flussmission ein großer Einschnitt, den auch wir erst verkraften mussten. Hatten wir diese Arbeit doch nur einige Jahre verrichten können.

Schon bevor der Bau der Missionsstation begann, war bekannt, dass es dort demnächst Strom geben sollte. Da und dort lagen bereits Lichtmasten an den Rändern der Erdstraße, so dass wir beim Bau der Station Lichtleitungen mit einbauen ließen. Nach einem halben Jahr wurde der Traum vom Strom dann Wirklichkeit. Ungefähr 20 Jahre hatte ich die Frauen in primitivsten Verhältnissen in ihren Hütten entbunden: bei Kerzenlicht oder einer kleinen Petroleumfunsel oder im spärlichen Schein meiner Taschenlampe. Nun hatten wir endlich elektrisches Licht – ein großes Ereignis für alle Bewohner im Ort!

Nicht alle ließen sich jedoch eine Leitung in ihr Holzhaus legen, denn der Strom musste ja auch bezahlt werden. Stattdessen saßen die Leute am Abend mit einem Hocker oder Bänkchen unter der Straßenlaterne und erzählten sich gegenseitig das Neuste vom Tage.

Wir waren froh, dass wir zunächst in jedem Zimmer eine Glühbirne an der Decke hatten. Die zugehörigen Lampen erstanden wir nach und nach vom Wirtschaftsgeld. Neben den Lampen gehörten nun auch ein Kühlschrank und eine Waschmaschine zu unserem „Mobiliar" (der vorherige Kühlschrank wurde mit Petroleum betrieben). In der Hoffnung auf eine gute Baumwoll- und Kaffeeernte, um mit dieser die Schulden abzubezahlen, gönnten sich auch viele andere Leute den Luxus eines Kühlschranks. Hin und wieder konnte man nun auch Menschen mit einem großen Fernsehgerät unter dem Arm auf der Straße laufen sehen. Sie holten sich die „Welt" in ihre Hütte, und das sollten nun auch die Nachbarn „hören". So wurde unser Fischerdorf immer moderner, und immer mehr „Kultur" hielt Einzug in unserem kleinen Ort.

Mit der Stromversorgung legte sich jedoch eine Dunstschicht über den Ort, so dass man den schönen südländischen Sternenhimmel nicht mehr so klar sehen konnte. Doch etwas außerhalb war die Pracht der Sternenkonstellationen wieder deutlich sichtbar. Wir freuten uns immer besonders über das Kreuz des Südens, da es uns an die Erlösung durch Christus erinnerte.

Auf fast allen Stationen im Inneren des Landes war ich mit dem Problem der Wassernot konfrontiert. Einmal waren die Brunnen verstopft, und sie mussten tiefer gegraben werden, ein andermal waren die Regentonnen fast vollkommen leer. Das war wirklich ein großes Problem, da wir für die Krankenbehandlungen und Geburten dringend Wasser benötigten.

Oft mussten die Leute das kostbare Nass von weither aus dem Fluss oder einer Quelle holen. Zum Wäschewaschen gingen sie mit der schmutzigen Wäsche zum Fluss und legten diese anschließend auf Baumblätter oder hingen sie zum Trocknen über einen Stacheldraht. Von meiner Wäscheleine und der Methode, die Wäsche mit Klammern daran aufzuhängen, waren sie so begeistert, dass sie sich beim nächsten Basar sofort ihre eigenen Leinen und Klammern erstanden.

Unser Fluss war ein richtiger „Mehrzweckfluss". Die Menschen holten sich daraus ihr Trinkwasser, einige Meter weiter wusch jemand die Wäsche oder putzte Fische. Erwachsene, Kinder und Hunde nahmen darin ein Bad, andere brachten ihr Geschirr zum Abwaschen mit oder benutzten den Fluss als Toilette. Manchmal wurde auch altes Gerümpel mit einem Reisigbesen hineingefegt oder man benutzte ihn als Grab für verendetes Vieh. Nur gut, dass es kein stehendes Gewässer war!

Doch für all das wurde Abhilfe geschaffen, als eines Tages Gräben für eine Wasserleitung ausgehoben wurden. Weiterhin wurde ein Tiefbrunnen gebohrt, der den Ort mit Wasser versorgen sollte. Schließlich bekamen wir sogar Wasser aus einem Reservoir aus der Stadt.

In den letzten Jahren wurde sogar eine „Erste-Hilfe-Station" vom Staat eingerichtet, in welcher einmal in der Woche ein Arzt Patienten behandelte.

So gab es in den letzten Jahren viele radikale Veränderungen auf zahlreichen Gebieten. Für uns ein guter Grund, Gott zu preisen und ihm zu danken. Hatten wir doch immer wieder erleben können, dass er alles fein zu seiner Zeit tat.

Auf allen Pionierstationen begann ich meinen Dienst in primitiven Verhältnissen, doch überall gab es Menschen, die mich freundlich und hilfsbereit aufnahmen. Auf einer Station bot man mir in der Nachbarschaft einen kleinen Raum an, in dem ein dreibeiniges Bett und ein wackliger Stuhl standen. Das fehlende Bein wurde mit Ziegelsteinen unterlegt, damit ich nicht auf einer schiefen Ebene liegen musste. Außerdem hatte die Familie zu meinem Empfang ein Schwein geschlachtet, von dem die Familie morgens, mittags und abends ein Stück aß. Der Rest wurde eingepökelt. Diese Kost war meinem Magen fremd, doch die Menschen waren sehr verständnisvoll gegenüber meinen so anderen Essgewohnheiten. Sie kamen gerne zum Gottesdienst und nach geraumer Zeit riefen sie mich zur Entbindung ihres nächsten Kindes. Mehr und mehr Vertrauensbande wuchsen.

Nachdem ich meinen Vertretungsdienst am Rio das Cobras unter den Indianern beendet hatte, sollte ich noch einmal eine Pionierstation in Zusammenarbeit mit Missionsehepaar Martin und Dorothea Kahl weit im Inneren des Landes mit aufbauen. Ich freute mich sehr darauf, schließlich konnte ich jetzt sowohl meine zwanzigjährige Erfahrung noch einmal richtig nutzen, und ich war nicht allein auf weiter Flur. Wir hatten eine segensreiche und schöne Zeit der Zusammenarbeit – wir halfen uns gegenseitig und ließen uns helfen. Die gute Atmosphäre unserer Zusammenarbeit spürten auch die Menschen, denen wir dienten, so dass diese sich oft fragten, in welcher verwandtschaftlichen Beziehung wir wohl zueinander stünden. Hierbei kam es zu manch drolligen Annahmen: „Das muss die Mutter von Herrn

Kahl sein, oder nein, sie ist seine Schwester!" Eine Frau wollte hinter vorgehaltener Hand wissen, ob Frau Kahl nicht meine Schwägerin sei, sie würde es auch keinem Menschen weitersagen. Solche und ähnliche Aussagen gaben uns viel Anlass zum Schmunzeln und würzten unseren Alltag.

Schwester Ilse freut sich über die gute Entbindung des Babys.

Bei den Besorgungen für die Einrichtung meines neuen Arbeitsplatzes erlebten wir viele Wunder Gottes. Während ich über 20 Jahre die Frauen in ganz primitiven, oft unvorstellbaren und unhygienischen Verhältnissen hatte entbinden müssen, wurde mir nun eine Station mit allem Komfort anvertraut. Manchmal schien es mir, als würde ich träumen: Nun hatte ich einen kleinen Kreißsaal, eine Apotheke und ein Behandlungszimmer. Ungefähr ein halbes Jahr nach Einweihung der Station bekamen wir auch noch Strom, sodass bei den Geburten immer für genügend Licht gesorgt war (außer die Stromversorgung war gerade durch irgendeinen Defekt unterbrochen).

Zusätzlich versorgten mich meine Schwestern aus

den Krankenhäusern in Frankfurt, Oberhausen, Hemer, Berlin und anderen Orten laufend mit Säuglingswäsche, Desinfektionsmittel, Bettwäsche, Säuglingswaage, Geburtsmaterial, Handschuhen, Spritzen, Seifenspendern, Ärztemustern und vielem mehr. Sie sahen meine Station als eine Art Außenstation ihres Krankenhauses an, und ich bin immer noch von Herzen dankbar für den guten Kontakt und die treue Unterstützung.

Auch meine Schwestern aus der DDR waren sehr erfinderisch und erfreuten mich mit manchen nützlichen Dingen. Sie nutzten die auf gewisse Zeit begrenzte Möglichkeit der 1kg Päckchen voll und ganz aus. Da kamen aus einem Päckchen zum Beispiel zwei Puppenarme, aus dem anderen die Beine oder der Kopf hervor. Alles kam gut an und bot viel Anlass zur Freude – sowohl mir als auch anderen. Einmal kam ich zur Post und hörte schon von weitem einige Wecker klingeln. Da wusste ich: Das galt mir! Der freundliche Postbote brachte mir das Päckchen gleich schmunzelnd entgegen. Manchmal bekam ich auch guten Samen aus Deutschland geschickt und mehrere Male sogar einen echten Dresdner Weihnachtsstollen. Der wurde natürlich mit den Nachbarn geteilt.

Diese Station war also eine, „meine Traumstation". Die letzten 16 Jahre meines Missionsdienstes in Brasilien durfte ich hier meinen Dienst verrichten. Während all dieser Jahre habe ich die Treue Gottes, seine Bewahrung und wunderbare Hilfe ganz konkret erfahren. Von all den Frauen, denen ich in den Jahren meines Missionsdienstes in der Stunde der Geburt half, starb nicht eine einzige unter meinen Händen. Welch ein Grund zur tiefsten Dankbarkeit meinem Gott gegenüber! Und dass ich von meinen Schwestern und Glaubensgeschwistern in Deutschland so treu umbetet worden bin, bleibt mir für immer fest ins dankbare Herz geschrieben. Nun konnte ich meine Traumstation dankbar in Gottes Hände zurücklegen, denn auch auf diesen Moment bereitete er mich wunderbar vor.

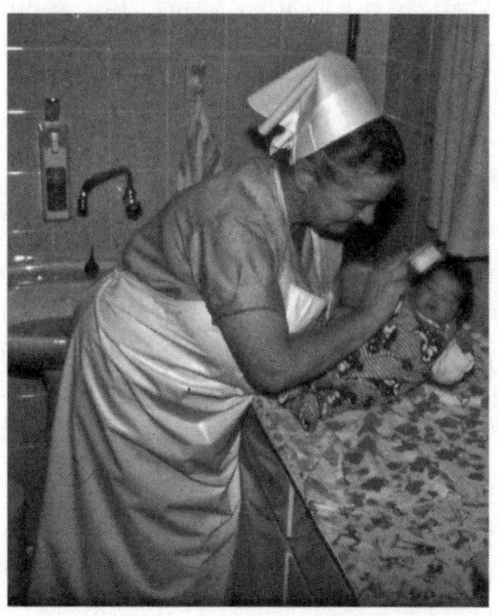

Letzte Geburt auf meiner Traumstation.

Vor meiner Ausreise 1955 nach Brasilien hatte ich in der DDR gelebt. Damals schien es unmöglich zu sein, je eine legale Ausreise aus der DDR zu bekommen, doch Gott schenkte es auf wunderbare Weise. Darüber waren 40 Jahre vergangen. In diesen 40 Jahren konnte ich während meiner Heimataufenthalte immer für eine kurze befristete Zeit einen Besuch bei meinen Angehörigen und Schwestern machen, der allerdings streng kontrolliert wurde. In meinem „Vize"- Mutterhaus in Velbert fand ich immer freundliche Aufnahme, für die ich sehr dankbar war. Doch würde sich je ein Weg abzeichnen, dass ich einmal den Ruhestand in meinem Mutterhaus in Elbingerode würde verbringen können? Es erschien unmöglich, ebenso unmöglich wie meine Ausreise nach Brasilien vor 40 Jahren erschienen war. Damals hatte der derzeitige Staatschef verkündigt, dass die Mauer, die Ost- und Westdeutschland voneinander trenne, noch 100 Jahre bestehen bliebe.

Ich verließ mich auf Gottes Wort. Vor meiner Ausreise hatte ich unter anderem ein Wort aus 1. Mose 28,15 mit auf den Weg bekommen: *„Siehe, ich bin mit dir und will dich behüten, wo du hinziehst, und will dich wieder herbringen in dies Land. Denn ich will dich nicht verlassen, bis ich alles tue, was ich dir zugesagt habe."*

Gottes Wort ist zuverlässig. Er erfüllt sein Wort nicht nur halb. Das durfte ich bereits unzählige Male erfahren und daran hielt ich weiter im Glauben fest. Dennoch konnte ich es nicht fassen, als es 1989 tatsächlich Wirklichkeit wurde! Die Tatsache, dass ich 1993 nun wieder in mein Mutterhaus zurückkehren konnte, machte mir den Abschied und das Loslassen meiner Traumstation leicht. *Es ging ja nach Hause.*

Foto vom Mutterhaus Elbingerode, meinem „zu Hause".

Zusammenfassung

Ich darf auf 38 Jahre aktiven Missionsdienst in Brasilien zurückblicken. Vorwiegend verrichtete ich meinen Dienst unter der armen Bevölkerung im Staat Parana, unter anderem in Curitiba, Ponta Grossa, Ortigueira, Segredo-Candoi (heute Foz do Jordao), Rio das Cobras und Porto Brasilio. 1955 bis 1993 tat ich meinen Dienst als eine, der es am Herzen lag, Gemeinde Jesu zu bauen. Es war im wahrsten Sinne des Wortes Pionierdienst.

Neben dem Dienst der Wortverkündigung gab es noch zahlreiche andere Möglichkeiten, die Menschen auf Jesus Christus hinzuweisen. Da war der umfangreiche Dienst der Krankenpflege an Mensch und Tier, Hilfe bei Geburten, Näh- und Zuschneidekurse, Hygiene- und Alphabetisierungsunterricht, Haus- und Hüttenbesuche und vieles mehr. Zum Erlernen der portugiesischen Sprache blieb wenig Zeit, der ganze private Fleiß war gefordert.

1964 konnte ich in Curitiba das Hebammenexamen in der Landessprache ablegen. Durch den vielseitigen Hebammendienst in den Wäldern Brasiliens bekam ich nicht nur Einblick in die Kultur des Volkes und den Lebensstandard der armen Bevölkerung. Nein, vor allem lernte ich die Brasilianer und Indianer schätzen und lieben. Mein Anliegen war, zu helfen, wo und wie ich nur konnte. Diese Erfahrungen waren gleichzeitig immer Glaubenserfahrungen mit dem lebendigen Gott, dem ich durch Jesus Christus gehöre und diene. Oft waren die Zerreißproben und die Zeiten der Einsamkeit groß, die es galt durchzuhalten. Ich wusste mich umgeben und getragen von der unsichtbaren Macht der Fürbitte meiner Schwestern und Brüder in Deutschland. Dass von den vielen Müttern, denen ich in der schweren Stunde der Geburt helfen durfte – oft unter ganz primitiven Verhältnissen – nicht eine Frau starb und etliche zum lebendigen Glauben an Jesus kamen, bleibt mir Grund, dem Herrn zu danken. Ihm allein gebührt die Ehre. Prägend und gesegnet waren auch die elf Jahre gemeinsamen Pionierdienstes mit Ehepaar Martin und Dorothea Kahl am Rio Parná.

Seit meiner Rückkehr aus dem Ausland und dem aktiven Missionsdienst im Jahre 1993 bin ich bereits mehrmals wieder in Brasilien gewesen. Immer wieder zieht es mich in dieses Land, und die Freude war jedes Mal groß, wenn die „Mutter des Volkes" (wie man mich nannte) wieder einmal da war. Für mich war es eine große Freude, wenn ich da und dort Menschen traf, denen ich einmal zum Start ins Leben hatte helfen dürfen. Noch größer war die Freude, wenn ich Menschen begegnete, die durch meinen Dienst zum lebendigen Glauben kamen oder in ihrem Glauben an Jesus gestärkt wurden und noch heute in der Nachfolge Jesus stehen.

Und was wurde aus meiner Berufung? War sie mit meiner Rückkehr vom aktiven Missionsdienst abgeschlossen? Diese Frage hat mich nach meiner Rückkehr lange Zeit bewegt. Nein! Ich bin und bleibe zur Gemeinschaft mit Gott durch Jesus Christus nach 1. Korinther 1,9 berufen. Das Brennen im Herzen, Menschen den Weg zu Jesus zu weisen, ist nicht an ein Land gebunden und somit auch im aktiven Ruhestand nicht erloschen.

Immer wieder bieten sich Gelegenheiten, Jesus zu bezeugen und Menschen zu helfen, die Spur zum wahren Leben zu finden. *Wahrlich, ein reiches und erfülltes Leben!*